DRA. GUILLERMINA BAENA PAZ

REDACCIÓN PRÁCTICA

el estilo personal de redactar

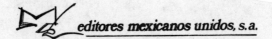

editores mexicanos unidos, s.a.

Miembro de la Cámara Nacional
de la Industria Editorial. Reg. No. 115

ISBN:968-15-0386-4

5a. reimpresión Agosto 1991

Distribuidor exclusivo en España:
EDIMUSA, S.A.
Ausias March 130, Tienda Derecha
Barcelona 13.

Impreso en México
Printed in Mexico

Nueva York a 28 de diciembre de 1990

Sra. Dra. Guillermina Baena
Presidenta del Consejo Nacional de Radiodifusión
Rumanía, 509 Bis.
México D. F. 03300

Distinguida amiga:

Me ha de perdonar el retraso en agradecerle la gentileza que tuvo de entregarme, en mano, su estupendo y bien articulado libro, <u>Redacción práctica</u>, en los días entrañables de Guadalajara.

Ya lo he leído y puedo hablarle de él. El libro es bueno en todas direcciones: bien planeado y bien escrito. La meta didáctica que se propuso la consiguió. Los ejemplos y prácticas son valiosos. El material aportado ayuda al estudiante y lo pone en disposición de elevarse. En todo el libro se aprecia profesionalidad, método (su método), orden y amplitud. Y algo raro: siendo material de enseñanza tiene un halo poético.

Fue un placer dialogar con usted, su esposo y el ángel en serenidad de Alethia. Baena es un pueblo hermoso de Córdoba, como lo es Baeza, de Jaén. Si alguna vez le fuera posible, visítelos. Merecen la pena.

Salude, por favor, a su esposo y a su hija. Reciba, con mi enhorabuena, el cordial saludo de su amigo y colega espanol,

Dr. Odón Betanzos Palacios.

A Sergio Montero, pensamiento
y prisa . . .
A Paty y también para
Alethia, desde luego.

Guillermina María Eugenia Baena Paz

Nació en México, D. F., un 25 de junio de 1947.

Desde los once años escribía en un periódico nacional dentro de la sección infantil. Más tarde publicó durante nueve años en un periódico de Toluca, ciudad a la que ha estado ligada desde entonces y en la cual ha trabajado en diversas instituciones de educación superior.

Profesora universitaria desde hace dieciséis años en la Facultad de Ciencias Políticas y Sociales y en diversas escuelas e institutos de educación media y superior.

Tiene la licenciatura en Ciencias de la Información, la maestría en Administración Pública y el doctorado en Estudios Latinoamericanos. Ha tomado además diversos cursos de especialización y actualización así como capacitación pedagógica. Actualmente cursa su segundo doctorado en Administración Pública.

Se inició en el camino de la investigación gracias a sus grandes maestros de periodismo. Como docente empezó a elaborar material didáctico y a dirigir tesis, lo que le llevó a la elaboración de su primer libro Manual para elaborar trabajos de investigación documental *que fue declarado libro de texto en escuelas y facultades de la UNAM.*

Un segundo libro, producto también de sus enseñanzas y dirección de tesis, fue Instrumentos de investigación *y conjuntamente con él nacía* Redacción aplicada, *primero como un esquema de gramática y lenguaje, actualmente como* Redacción práctica.

Sus trabajos periodísticos fuera del aula y dentro de ella, generaron la producción de cinco textos bajo la serie Géneros periodísticos informativos.

De esta rama ahora la autora se especializa en comunicación y concretamente ha desarrollado nuevas áreas, estrategias y modelos de investigación; acción que ha derivado en una teoría para la comunicación popular.

Pero su actividad ha ido más allá. Ha recorrido todo el país impartiendo cursos, conferencias y participando en diversos foros de comunicación. Es fundadora de dos asociaciones de comunicación y de un foro nacional. Sus artículos especializados y programas radiofónicos podrían llenar varios volúmenes. Tiene además, otras obras en la UNAM, la serie Comunicación de análisis político *y en la Secretaría del Trabajo la publicación en dos volúmenes de su tesis de doctorado titulada* La confederación general de trabajadores.

Ha sido acreedora a diversas distinciones, entre las que destacan el Laurel Literario, la Rosa Netzahualcóyotl por su obra literaria en cuentos y poemas, diplomas al mérito por su labor de capacitación y la medalla Gabino Barreda que le otorgó la UNAM por tener alto promedio en el doctorado.

INTRODUCCION

Aquí hay ideas, recetas, ejercicios, consejos que le ayudan de manera inmediata a resolver problemas de redacción.

El criterio seguido en este libro es el de una redacción práctica que nos permita defendernos en la vida cotidiana.

No, aquí no encontrará teorías gramaticales, corrientes lingüísticas o sistemas de pensamiento. No se trata tampoco de que usted explique lo que entiende por complemento directo o por hipálage o por lexema. No se trata de indagar qué tanto sabe acerca de la gramática tradicional o estructural: se trata de que sepa aplicarla.

Martín Alonso decía en una ocasión parafraseando a Séneca, que no aprendemos para la escuela, sino para la vida.

De ahí que en la redacción práctica imprimamos dinamismo a esa señora tan estéril que conocimos en la escuela con el nombre de Gramática y a ese conjunto de silogismos fríos por los que acostumbra llevarnos la Lógica.

En los momentos, actuales estamos ante una realidad que debemos afrontar si queremos escribir: perdimos el hábito de la lectura y la pureza del idioma por culpa de los medios de comunicación colectiva. Para colmo, la dependencia ideológica y cultural que nos imponen los países imperialistas, además de malformar nuestra identidad, también lo hace con nuestra lengua nacional.

Y luego que nuestro idioma está en constante mutación: ¡quién pone límites a un ser cambiante!

Con todo esto, ponerse a redactar se vuelve un reto, algo tan sencillo se vuelve muy complejo.

Pero dicen que lo sencillo es precisamente lo más difícil. De ahí que este libro pretenda hacerle fácil la tarea de la redacción.

El texto base de este libro fue un esquema sobre lenguaje y redacción. Su aplicación y ocho años de experiencias lo transformaron en Redacción Aplicada. Así quedó durante dos ediciones.

La dinámica de la redacción nos ha resuelto a cambiarle el nombre. Hemos probado los ejercicios una y otra vez en diversos niveles que van desde la secundaria al posgrado. En todos esos niveles se han logrado resolver dificultades de una manera práctica, de ahí su nuevo bautizo.

Redacción práctica se ha aplicado en una serie de cursos que se han impartido entre profesionistas y profesionales. Ha estado con secretarias, técnicos de campo, trabajadores sociales, dentistas, médicos, comunicólogos, alumnos de los colegios de Ciencias y Humanidades, de Bachilleres, de Preparatoria, divulgadores de extensión agrícola, reporteros, enfermeras y licenciados.

Redacción práctica ha estado siempre donde los criterios prácticos predominan en los cursos.

El orden en el que está expuesto el libro responde a cuestiones lógicas que bien pueden ser alteradas en un estudio personal o autodidacta de la redacción. Así que es factible empezar con el ejercicio que más le agrade.

Algunas páginas del texto están programadas, es decir, cuentan con las respuestas. La razón de ello está en que reúnen un conjunto de ejercicios destinados a desterrar vicios arraigados. Así que si usted encuentra como correcto *el herrero suelda* o *me fuerza a elaborarlo,* no piense que es un error. También llamará su atención el abuso que hacemos de las preposiciones cuando las escribimos mal así como otras formas gramaticales en donde nuestros errores son inconfesables.

Si esta parte no estuviera programada, dejarla sin respuesta hubiera ampliado las dudas, más que resolverlas.

Redacción práctica jamás pretende imponer ejercicios como verdad absoluta. Nació con la idea de la creatividad y para desarrollar el ingenio.

Es bueno que maestros e instructores lo tomen como mero indicativo y desarrollen o adapten sus propios ejercicios, tanto individuales como grupales, de acuerdo a las necesidades específicas del aprendizaje.

Recuerde que para redactar no hay cursos mágicos o fórmulas maravillosas. En este camino se requiere constancia, voluntad, interés... con ello el texto, además de servir para su formación, servirá para su recreación.

Una primera, pero constante recomendación:

lea, lea, lea...

I. Lenguaje es comunicacion

El lenguaje es la comunicación que consiste en emitir e intepretar *señales*.

Las señales forman parte de un código o sistema y esto nos permite entenderlas:

1. Las señales de los sordomudos son un código:

(Lenguaje mímico.)

2. Las señales en calles y carreteras son un código:

(Lenguaje gráfico.)

3. El alfabeto es un código:

A B C D... (Lenguaje oral o escrito.)

Sin ese código común no podríamos entender los *mensajes.*

El mensaje para ser comprendido requiere tener sus señales ordenadas,

de lo contrario: JMESAEN no entenderíamos lo que se quiere transmitir: MENSAJE.

De acuerdo al modo personal en que ordenamos las señales del mensaje, se dice que tenemos un *estilo.*

Así, encontramos un *estilo vulgar:*

Veterana tapuja del ponedor carnal
ahí tejabán mis seis de cocodrilo,
a nombre de mis batos que son titipuchal,
que aunque se afirmen todos la buchaca
tú ya lo sábanas, paquetes d'hilo
se nos carga la bola en la carcacha
y el cucharón se chivatea todito
*sin mota, ni escamocha, sin Tepito.**

El estilo vulgar es de dos tipos:

Argot (en francés caló), es el vocabulario de una región o zona.

Jerga, es el vocabulario de una profesión, actividad o grupo social. No confundamos aquí el vocabulario científico que es propio del lenguaje formal.

* Roberto Oropeza Martínez, fragmento de "Elegía a Tepito" en ¡Esta poesía borracha!

Tenemos un *estilo coloquial* que usa regionalismos y expresiones que han sido aceptadas por quienes lo hablamos:

Vieja cueva de rateros
ahí te van mis lágrimas
en nombre de mis *cuates* que son un *montón*
que aunque se callen todos la boca
tú y yo lo sabemos, *pa'que* te digo
se nos *enchina* el cuerpo
y el corazón se estremece todito
sin la verde, ni escamocha, sin Tepito.

Y tenemos un *estilo formal* o *académico:*

Me dirijo al lugar donde se han ocultado los
(asaltantes
me despido con tristeza
y hablo por todos los que se sienten igual
aunque no se atreven a exteriorizarlo.
Sólo tú, Tepito y yo, conocemos el problema, para
(qué repetirlo.
Tirita el cuerpo y el corazón se acongoja
al saber que desaparece
la mariguana, la escamocha y tú, Tepito.

1.1. SAFARI DEL LENGUAJE

Escriba tres diálogos breves que escuche para ejemplificar cada estilo mencionado:

Estilo vulgar	Estilo coloquial	Estilo formal

1.2. CODIGO CORTAZARIANO

Después de leer el siguiente texto:

1. Explique con sus palabras lo que entendió de la lectura.
2. Explique por qué el mensaje no está claro si el autor usó un código y unas señales ordenadas.

Apenas él le amalaba el noema, a ella se le agolpaba el clámiso y caían en hidromurias, en salvajes amonios, en súrstalos exasperantes. Cada vez que él procuraba reclamar las incopelusas, se enredaba en un grimado quejumbroso y tenía que envulsionarse de cara al nóvalo, sintiendo como poco a poco las arnillas se espejunaban, se iban apeltronando, reduplimiendo, hasta quedar tendido como el trimalciato de ergomenina al que se le han dejado caer unas filunas de cariaconcia. Y sin embargo, era apenas el principio, porque en un momento dado ella se tordulaba las urgalios, consistiendo en que él aproximara suavemente sus orfelunios. Apenas se entreplumaban, algo como un ulucordio los encrestoriaba, los extrayuxtaba y paramovía, de pronto era el clinón, la esterfurosa convulcante de las mátricas, la jadehollante empocapluvia del orgumio, los esproemios del perpasmo en una sobrehumítica agopausa. ¡Evohé! ¡Evohé! Vollposados en la cresta del murelio, se sentían balparamar, perlise resolviraba en un profundo pínice, en niolamas de argun tendidas gasas, en carinias casi crueles que los ordopenaban hasta el límite de las gunfias.

Rayuela Cap. 68. Julio Cortázar.

1. ____

____

____

____

____

____

2. ____

____

____

____

A. LENGUAJE ORAL Y ESCRITO

El lenguaje oral es accesible a todos puesto que tiene ciertas características que así lo permiten:

- Porque es coloquial la mayor parte de las veces.
- Porque se usan palabras sencillas, de uso común.
- Porque se permiten regionalismos.
- Porque se apoya en interjecciones.
- Porque se auxilia con la mímica.
- Porque usamos verbos fáciles como ser, hacer.
- Porque empleamos palabras "comodín" que están de moda y con ellas expresamos desde las situaciones más variadas hasta las más antagónicas.

1.3. PALABRAS COMODIN

Analice cada una de las siguientes palabras y escriba a continuación los casos en que las ha oído emplear:

REDACCION PRACTICA

Arroz ____

Cámara ____

Onda ____

Cotorro ____

Rollo ____

B. LENGUAJE ES ORDEN

El lenguaje escrito es más complicado.

Nuestra expresión requiere mayor formalidad y no podemos auxiliarnos de muchos apoyos como en el caso del lenguaje oral.

Una de las quejas más frecuentes de quien escribe es: "no sé cómo empezar". Efectivamente parece que empezar es lo más difícil, hecho que no ocurre en el lenguaje oral.

Para escribir nos vemos obligados a *ordenar* lo que vamos a decir.

En el lenguaje oral tal vez ordenamos sobre el habla misma, sin necesidad de un esfuerzo previo. Además el auxilio de los apoyos mencionados permite que nuestro mensaje sea comprendido con mayor facilidad, por lo cual el orden de las ideas y de las palabras nos preocupa muy poco.

En cambio, el lenguaje escrito nos exige pensar, ordenar los pensamientos —usar la lógica— y escribir, ordenar las palabras por escrito —usar la gramática.

Luego entonces, lógica y gramática son los instrumentos| fundamentales de la redacción.

"Redactar es ordenar" dice Martín Vivaldi y agregamos que a través de un proceso dinámico la redacción comunica las ideas con las palabras escritas.

II. LOGICA

La lógica es un instrumento indispensable para la redacción.

A. El orden lógico

Sin lógica todo pensamiento es desordenado.

El orden lógico se da al poner cada parte gramatical en su lugar:

Sujeto — verbo — complemento

predicado

También se detecta un orden lógico cuando expresamos en cada enunciado un pensamiento completo:

Llovía.
La casa roja.
La niña jugaba.

En el momento en que empezamos a introducir las diferentes partes gramaticales alteramos el orden lógico:

Mientras llovía, la niña jugaba con sus muñecas *en la casa roja.*

Una y otra vez lo dijo: es un hombre maravilloso *porque conoce el valor de la amistad.*

2.1 ORDENACION DE PALABRAS

Ordene lógicamente el siguiente párrafo:

Estilo punzón era el, extremo por un agudo y otro por el plano, cual con el antiguos los escribían en tablillas y borraban recubiertas lino de y enceradas. Tiempo con el, pasó el término a ciertas denominar de lo escrito condiciones:

____

____

____

____

____

2.2. ORDENACION DE ENUNCIADOS

Los enunciados siguientes requieren ordenarse lógica-

El párrafo original dice:

Estilo era el punzón, agudo por el extremo y plano por el otro, con el cual los antiguos escribían y borraban en tablillas recubiertas de lino y enceradas. Con el tiempo el término pasó a denominar ciertas condiciones de lo escrito.

(Hilda Basulto. *Curso de redacción dinámica,* p. 121.)

mente. Anote dentro del paréntesis el número progresivo que le corresponde a cada uno:

En el principio fue el mito, porque en el principio fue la inauguración. ( )
La muerte. ( )
Todo lleva a la vacilante imaginación del hombre primitivo a buscar refugio en un mundo habitado por seres fuertes, irreales, libre de los temores vulgares de la tierra. ( )
El principio. ( )
El pasado sin pasado. ( )
Los días repetidos, el tedio de las horas iguales, la incertidumbre cotidiana; la noche y el rayo. ( )
La soledad. ( )

2.3. TEST DE DISCERNIMIENTO

OBJETIVOS: Aplicar el discernimiento.
Identificar la propia capacidad de atención.

PROCEDIMIENTO: Se resolverá el test de acuerdo a las instrucciones. No se hará ningún comentario ni pregunta.

INSTRUMENTOS NECESARIOS: Test de discernimiento impreso en hojas sueltas para cada alumno.

La respuesta es: (2), (4), (7), (1), (5), (3), (6), aunque es posible que haya otras combinaciones, lo importante es fijarse que hagan una composición coherente.

TEST DE DISCERNIMIENTO *

Haga exactamente lo que se indica. No haga preguntas. Por ningún motivo hable o pregunte nada. Asegúrese de mantener su vista en su hoja de papel. Cuando termine permanezca callado. No comente nada. ¡No hable!

1. Lea todo antes de hacer algo.
2. Proceda con cuidado.
3. Ponga su nombre en la esquina derecha de esta hoja.
4. Trace un círculo alrededor de la palabra *nombre* en la oración 3.
5. Trace 5 pequeños cuadros en la esquina superior izquierda de esta hoja.
6. Ponga una "X" en cada cuadro.
7. Trace un círculo alrededor de cada cuadro.
8. Firme su nombre en la esquina inferior izquierda de esta hoja.
9. Después de su nombre escriba sí, sí, sí.
10. Trace un círculo alrededor de cada palabra de la oración 8.
11. Trace una "X" en la esquina inferior izquierda de esta hoja.
12. Trace un triángulo alrededor de la "X" que escribió.
13. En el reverso de esta hoja multiplique 703 por 1850.
14. Trace un cuadro alrededor de la palabra "hoja" de la oración 3.
15. Cuando llegue a esta altura del test, chasquee los dedos de su mano izquierda.

*** FUENTE: Evelyn Wood: Instituto de Lectura Dinámica.**

16. Si piensa que ha seguido las instrucciones hasta este punto, escriba "lo he hecho", en la parte de abajo del test.
17. En el reverso de esta hoja sume 8950 más 9850.
18. Trace un círculo alrededor de su respuesta. Trace un cuadro alrededor del círculo.
19. Cierre los ojos por un par de segundos. Entonces prosiga con el número 20.
20. Ahora que ya ha terminado de leer cuidadosamente, haga únicamente lo que dice el número tres.

2.4. HACIA EL FONDO DE LAS FRASES

OBJETIVOS: Aplicar el razonamiento lógico a través de la identificación de las implicaciones contenidas en diversas frases.
Redactar un párrafo sobre el significado de cada frase

PROCEDIMIENTO: Se explicará frase por frase en un párrafo menor de diez líneas.

INSTRUMENTOS NECESARIOS: Frases (como las que se anexan). Hojas blancas.

1. "Vivir por la patria o morir por la libertad."
(Vicente Guerrero)
2. "Ante los irreflexivos, que nunca dudan, están los reflexivos, que nunca actúan."
(Bertold Brecht)
3. "El fin justifica los medios."
(Maquiavelo)
4. "El hombre es el lobo del hombre."
(Plauto)
5. "Al nopal lo van a ver sólo cuando tiene tunas."
(Refrán popular)

6. "Eres responsable para siempre de aquello que has sembrado." (Saint Exupéry)
7. "Si es buena el agua bebed sin preguntar por la fuente." (Alarcón)
8. "Hay plumajes que cruzan el pantano y no se manchan, mi plumaje es de esos." (Rubén Darío)
9. "La locura es mil veces más saludable que todo nuestro empeño por llevar una vida reflexiva." (Chejov)
10. "El que no habla a un hombre no habla al hombre; el que no habla al hombre no habla a nadie." (Machado)
11. "No te creas tan grande que te parezcan los demás pequeños." (Confucio)
12. "Quien es un hombre completo no necesita ser una autoridad." (Stirner)
13. "Los recursos que pedimos al cielo se hallan en nuestras manos la mayor parte de las veces." (Shakespeare)
14. "Amigos son los que en las prosperidades acuden al ser llamados y en las adversidades sin serlo." (Demetrio I rey de Macedonia)
15. "Sólo el error necesita la ayuda del gobierno. La verdad puede existir por sí misma." (Jefferson)
16. "Hay más cosas en el cielo y en la tierra que las que sueña tu filosofía." (Shakespeare)
17. "Aprendió tantas cosas que no tuvo tiempo de pensar en ellas." (Abel Martín)
18. "No acometas obra alguna con la furia de la pasión: equivale a hacerse a la mar en plena borrasca." (Thomas Fuller)
19. "El hombre no debe atender tanto a lo que come como a con quién come." (Montaigne)
20. "Una sola conversación con un hombre sabio vale más que diez años de estudio en los libros." (Longfellow)

21. "El amor es más de temer que todos los naufragios." (Fenelón)
22. "Sólo hay una manera de poner término al mal y es devolver bien por mal." (Tolstoi)
23. "En el alma que da el ser a las palabras está el estilo más profundo." (Flaubert)
24. "Si tienes vocación para escribir, debe haber en ti, sapiencia, arte y fantasía: el saber la música de las palabras, el arte de la sencillez y la magia de amar a tu lector." (Gibrán Jalil Gibrán)
25. "Las libertades no se dan, se toman." (Kropotkin)
26. "Si no sientes una cosa, nunca podrás descubrir su significado." (Emma Goldman)
27. "De todos modos, Juan te llamas." (Refrán popular)
28. "El ave canta aunque la rama cruja. Como que sabe lo que son sus alas." (Refrán popular)
29. "No dejes para mañana lo que puedas hacer hoy." (Refrán popular)
30. "Arbol que crece torcido, nunca su rama endereza." (Refrán popular)

B. Las falacias

Dentro de la Lógica, las falacias son razonamientos incorrectos que parecen correctos. Es frecuente dejarse llevar por ellos ya que algunos son muy convincentes.

He aquí algunas falacias * de las más comunes con las que tropezamos o nos hacen tropezar:

La falsa generalización. Las conclusiones que sacamos a partir de conocer una parte del todo las hacemos generales al todo. Ejemplos:

* Para profundizar en el tema v. Copi, Introducción a la Lógica.

Todo el mundo lo sabe.
Los Pérez son malvados.
Estamos perdidos.

La conclusión inatingente: Usa una conclusión particular para probar una conclusión diferente. Ejemplo:

Si no van a la junta no participan de la democracia.
La junta es tan sólo un acto particular de la democracia.
Pregúntese si se asegura la democracia yendo a la junta o si ir, será mejor que cualquier otra opción.

Argumentum ad baculum (apelación a la fuerza, al garrote). Se apela o amenaza de fuerza para provocar la aceptación de una conclusión. Ejemplos:

La madre al hijo: "O comes o te pego"; "O haces tu tarea o no juegas"; "Te portas bien o apago la tele".

"La letra con sangre entra", antiguo lema de la enseñanza tradicional, es otro ejemplo de este tipo de argumentos.

Argumentum ad hominem, ofensivo (argumento contra el hombre). En vez de refutar la verdad de lo que se afirma, se ataca al hombre que hace la afirmación. Sin embargo, el más perverso de los hombres puede a veces decir la verdad o razonar correctamente.

Caemos con frecuencia en esta falacia cuando no escuchamos o hacemos caso de lo que dicen algunas personas sólo porque nos parecen antipáticas.

Argumentum ad hominem, circunstancial (se quiere conquistar el asentimiento de algún oponente por especiales circunstancias que lo vinculan en esos momentos). Por ejemplo: Negar lo que dice un sacerdote sobre marxismo sólo porque viste túnica. Negar la veracidad de lo que diga un partido radical al tomar una postura "tibia". No aceptar una crítica al gobierno si parte de un funcionario.

Argumentum ad ignorantiam (argumento por la ignorancia). Se sostiene que una proposición es verdadera sólo porque nadie ha demostrado su falsedad. Ejemplos:

Debe haber fantasmas porque nadie ha demostrado que no los hay.

Debe haber infierno porque nadie ha demostrado que no existe.

Cuando se trata de saber la verdad por la vía del conocimiento entonces la falacia no existe, como el caso de los OVNIS cuya existencia se está probando por diversas personas.

El argumento pierde su sentido falaz en el terreno jurídico, donde una persona es inocente hasta que no se demuestre su culpabilidad.

Argumentum ad misericordiam (llamado a la piedad). Se apela a la piedad para conseguir que se acepte una conclusión. Ejemplos:

Una limosna para este pobre ciego.

Déme para un taco, me quedé sin empleo.

El ejemplo extremo es aquel del asesino de sus padres que apeló misericordia ante los jueces por ser huérfano.

Argumentum ad populum (llamado al pueblo). Se dirige un llamado emocional "al pueblo" para ganar el asentimiento de una conclusión que no está sustentada en un razonamiento válido. Trata de excitar las pasiones y el entusiasmo del público. Es un recurso de los propagandistas, vendedores y artistas de variedades.

"Tenga cutis de porcelana, use el jabón . . ."

"Para tener éxito en la vida hay que usar. . ."

"Sólo para sensibilidades galácticas. . ."

"La vida es más sabrosa con. . ."

Pero recuérdese que la aceptación popular de una actitud no demuestra que sea razonable y que el uso difundido de un producto no demuestra que éste sea satisfactorio (Copi).

Argumentum ad vericundiam (apelación a la autoridad).

Se apela al respeto que siente la gente por las personas famosas para ganar el asentimiento de una conclusión.

Por ejemplo la publicidad y la propaganda que acude al actor famoso para anunciar su producto. Los pantalones de mezclilla anunciados por jugadores de la selección de futbol. Algún cómico promoviendo las campañas de vacunación.

Otro ejemplo es el caso del pordiosero que dice: "Una limosnita por el amor de Dios".

Anfibología. Cuando el significado de un enunciado se vuelve confuso debido a la manera descuidada o torpe en que están combinadas las palabras:

Ejemplo: "José y Pedro se fueron a su casa" (¿a casa de quién, de José, de Pedro, de los dos?)

"Le mordió la pierna un perro y cojea" (¿quién cojea, el señor o el perro?)

El equívoco. Cuando se confunde el significado de las palabras. Ejemplo: "El *fin* de una cosa es su perfección; la muerte es el *fin* de la vida por lo tanto, la muerte es la perfección de la vida". El primer fin significa la meta, objetivo y el segundo es el último acontecimiento, por lo que el razonamiento es falaz. Otros ejemplos del equívoco son el pensar que: "Debe ser buen maestro porque es muy inteligente" o "Es un buen alumno porque es buen amigo".

La causa falsa. Toma como causa de un efecto algo que no es su causa real. Tiene dos variantes, la *non causa pro causa.* Ejemplo: "Me reprobaron porque no me gustaba la materia" o "porque le caía mal al profesor", en realidad fue porque no estudiaron. La otra varіente es *post hoc ergo propter hoc.* Ejemplo: tomar como cierto que si se tocan los tambores durante un eclipse el sol reaparece. Véase que la reaparición del sol obedece a otra causa, no a tocar los tambores. Algunas supersticiones de nuestro pueblo son ejemplos de esta variante como "el cortarse las pestañas en luna llena para que crezcan".

La pregunta compleja. Se exige una sola respuesta a dos o más preguntas.

Ejemplo: "¿Ha dejado de emborracharse?". Se piden dos respuestas, aceptar que se emborracha y que si ha dejado de hacerlo.

"¿Quieren portarse bien y callarse?", (se pide una sola respuesta a dos preguntas).

"¿Están en pro del capital extranjero y la prosperidad del país? Sí o no." (Es factible que haya dos respuestas diferentes.)

El énfasis. Los enunciados adquieren significados diferentes según las palabras que se subrayan o destacan.

Ejemplo:

En los periódicos sensacionalistas se usa esta falacia poniendo una parte de los títulos en tipografía más pequeña:

"Murió Raphael (en ocho columnas) para sus admiradoras mexicanas, no tuvo el éxito de la primera vez" (en letras pequeñas).

Los almacenes utilizan la falacia del énfasis engañoso en los precios: *$ 99.95* ¡menos de cien pesos!

Y a veces la verdad, dentro de un contexto engañoso, puede volverse mentira. Como aquella anécdota del barco donde el primer oficial bebía mucho y por esto tenía disgustos constantes contra el capitán. Un día el capitán anotó el hecho en la bitácora: "Hoy el primer oficial estaba borracho". El primer oficial quedó tan resentido que esperó la oportunidad de vengarse, así un día registró en la bitácora: "Hoy el capitán estaba sobrio". Era cierto. Sin embargo, puesto así, parecía que todos los días estaba ebrio.

Composición y división

Son de dos tipos:

I. Composición.

Se comete esta falacia cuando concluimos que las propiedades de las partes de un todo son las del todo mismo.

Un jugador es excelente, el equipo es excelente.

El acumulador es bueno, todo el automóvil es bueno.

I. *División:* Cuando afirmamos que lo cierto de un todo es de sus partes.

La selección es muy buena, cada uno de sus jugadores es muy bueno.

La máquina de vapor es pesada, cada una de sus partes es pesada.

II. Composición.

Se comete cuando pensamos que las propiedades de los elementos de una clase son las de la clase misma:

Durante la guerra hubo muchas bombas ordinarias; entonces éstas hicieron más daño que dos atómicas.

II. *División:* Se comete falacia cuando sostenemos que de las propiedades de una clase se deducen las propiedades de cada elemento.

Todos los árboles dan una sombra espesa, entonces cada árbol da una sombra espesa.

2.5. A LA BUSQUEDA DE LAS FALACIAS

SERIE: LOGICA

OBJETIVOS: Identificar falacias en el habla cotidiana y en los medios de comunicación.

Clasificarlas de acuerdo a su tipología.

PROCEDIMIENTO: Escribir en la lista anexa tres falacias

de cada una de las señaladas que podamos localizar en el habla cotidiana o en la publicidad y la propaganda que aparece en los medios de comunicación.

INSTRUMENTOS NECESARIOS: Hojas con lista de falacias para incluir ejemplos.

Conclusión inatingente ____________________

Argumentum ad baculum ____________________

Argumentum ad hominem (ofensivo) ____________________

Argumentum ad hominem (circunstancial) ____________________

Argumentum ad ignorantiam ____________________

Argumentum ad misericordiam ____________________

Argumentum ad populum ____________________

El equívoco ____________________

La anfibología ____________________

Argumentum ad vericundiam ____________________

La causa falsa ____________________

La pregunta compleja ____________________

La composición ____________________

La división ____________________

La falsa generalización ____________________

III. GRAMATICA

La gramática es el otro instrumento fundamental de la redacción.

Una vez que ordenamos nuestros pensamientos necesitamos expresarlos con propiedad y corrección. Aunque no abandonamos la lógica entramos en los terrenos de la morfología y de la expresión escrita.

El camino del idioma descubre una variedad y riqueza de palabras que adoptan las formas más caprichosas y llenan de significados los mensajes.

3.1. COMBINACION DE FRASES

A partir de la siguiente frase cambie las palabras de posición y elabore cuantas combinaciones coherentes sean posibles:

"Las personas mayores son muy extrañas."

____

____

____

La frase debió combinarse así: Muy extrañas las personas mayores son. Son muy extrañas las personas mayores. Las personas mayores muy extrañas son. Muy extrañas son las personas mayores. Son las personas mayores muy extrañas. Las personas son muy extrañas, mayores. Mayores, las personas son muy extrañas. (Estas dos últimas formas no son muy recomendables).

Veamos el siguiente caso.

Con una frase compuesta por nueve palabras se lograron múltiples combinaciones cambiándolas de lugar, suprimiendo algunas palabras, ayudándonos de la puntuación o conjugando los verbos en otros tiempos:

INICIATIVA

Por Alfonso López Collada.

Miraba el reloj que llevaba en la muñeca, distraído.
Distraído, miraba el reloj que llevaba en la muñeca.
Miraba distraído el reloj que llevaba en la muñeca.
Miraba distraído el olvidado reloj que llevaba en la muñeca.

Miraba distraído el reloj que llevaba olvidado en la muñeca.
Distraído, el reloj, miraba a la muñeca olvidada que llevaba.
Distraído, el reloj miraba a la muñeca que llevaba olvidada.
La muñeca que llevaba al alvidado reloj,distraída miraba.
Miraba el olvidado reloj distraído que llevaba a la muñeca.
Miraba el olvidado al distraído reloj que llevaba la muñeca.
Miraba distraído a la olvidada muñeca que llevaba en el reloj.
Olvidó que llevaba a la distraída muñeca que llevaba al reloj.
Olvidó a la muñeca que distraída, llevaba el reloj.
Olvidó a la muñeca que, distraído, llevaba el reloj.
Olvidó la muñeca que, distraído, se llevó al reloj.
Distraído, olvidó el reloj que llevaba la muñeca.
Olvidó que la muñeca, distraída se llevó el reloj.
Distraído, olvidó que el reloj miraba a la muñeca.
Distraído, olvidó que el reloj miraba a la muñeca que llevaba.
¡Distraído! Olvidó que miraba el reloj que llevaba la muñeca.
Olvidó mirar a la distraída muñeca que llevaba el reloj.
Se distrajo al mirar el reloj que llevaba la olvidada muñeca.
Distraído, miró a la muñeca llevarse el reloj olvidado.
Distraído, olvidó mirar a la muñeca llevarse el reloj.
Distraído, miró al reloj llevarse a la muñeca olvidada.
Olvidado, el reloj se llevó a la muñeca distraído el olvido.
El reloj olvidado miró lo que la muñeca, distraída se llevaba.

La muñeca olvidada miró que el reloj que llevaba se distrajo.
La muñeca distraída miró que olvidó el reloj que llevaba.
¡Distraído! Miró que había olvidado el reloj que llevaba en la muñeca.
Distraído, mirá que llevás el reloj que olvidás en la muñeca.
Distraído, mira que llevas en la muñeca el reloj olvidado.
Distraído, llevas en la muñeca el reloj que mira olvidado.
Olvidás que llevás en la muñeca olvidado el reloj que mira.
Distraído, llevas en la muñeca el olvidado reloj que mira.
Olvidado: distraéte mirando la muñeca que lleva el reloj.
Se distrajo el reloj que miraba que lleva la olvidada muñeca.
La muñeca olvidada se distrajo mirando que llevaba el reloj.
Se llevó el reloj y se distrajo, se olvidó mirándolo.
Se olvidó que llevaba el reloj que miraba y se distraía.
Se distrajo olvidando el reloj que llevaba.
Se miró olvidando el reloj que llevaba distraído.
Se distrajo llevando olvidado el reloj.
El reloj se distrajo olvidando a la muñeca que llevaba.
El olvido, distraído, llevá a la muñeca al reloj.
El reloj, distraído, preguntó a la muñeca que llevaba olvidado.
El reloj, distraído, preguntó al olvido por la muñeca que miró que llevaba.
La muñeca, distraída, preguntó al reloj si olvidaba mirar llevadas.
La muñeca miró al olvido y llevó la pregunta al reloj.
El olvido, distraído, preguntó la hora al reloj que llevaba la muñeca.

El olvido preguntó al reloj qué llevaba la distraída muñeca.
El olvido que llevaba relojes, que llevaban muñecas que llevaban, distraídas, relojes olvidados.
El reloj olvidó llevar olvido a las muñecas distraídas.
El olvido llevó distracción a las muñecas del reloj.
El reloj llevó distracción a las muñecas olvidadas.
La muñeca llevó olvido a los relojes distraídos.
El olvido se llevó a la muñeca distraída del relój.
La muñeca se llevó al olvido del reloj distraído.
La muñeca se olvidó del reloj distraído.
La muñeca se olvidó y el reloj se distrajo.
El reloj se olvidó de la muñeca.
Al reloj se lo llevó el olvido.
La muñeca se distrajo.
El reloj se olvidó.
La mirada olvidó.
El olvido miró.
La muñeca olvidó morir.

Si podemos escribir 3 cuartillas de combinaciones diversas con sólo nueve palabras imaginemos lo que se logrará con los miles de palabras que integran nuestro vocabulario.

En realidad tenemos dos tipos de vocabulario:

El *activo* que usamos con las palabras de nuestro acervo. Por lo común es pobre, reducidísimo en comparación con todos los vocablos que existen en nuestro idioma; y

El *pasivo* que entendemos o que intentamos comprender. Ese desconocimiento de las palabras nos impide utilizarlas. También se da el hecho de que a menor nivel de estudios, se usa menor vocabulario.

3.2. COMO AUMENTAR EL VOCABULARIO *

OBJETIVOS: Incrementar el vocabulario.
Evitar la monotonía y pobreza de vocabulario.

PROCEDIMIENTO: Se escogen diez líneas de prosa hispanoamericana o una poesía breve hispanoamericana. Se extraen todas las palabras de significado desconocido o poco conocido. Se buscan en el diccionario y se escriben tres oraciones simples con cada palabra definida.

El último paso es redactar con las propias palabras lo que quiso decir el autor.

En caso de la poesía, trasladar a prosa el mensaje.

Nota: Es conveniente realizar este ejercicio durante 15 minutos o media hora diarios durante dos meses o más. Se puede conseguir duplicar el vocabulario que se usa habitualmente.

INSTRUMENTOS NECESARIOS: Texto o poesía hispanoamericanos.
—Hojas blancas.

A. *Vicios de dicción.*

En nuestro lenguaje oral y escrito es muy frecuente cometer vicios de dicción que debemos conocer y evitar a tiempo.

Tenemos los siguientes *vicios de dicción.*

Barbarismo; se comete:

---

* Sugerido por el profesor Henrique González Casanova.

1. Cuando se escriben o pronuncian incorrectamente las palabras:

Grabiel por Gabriel	fustrar por frustrar
Ciudá por ciudad	véngamos por vengamos
haiga por haya	fuertísimo por fortísimo

2. Cuando se usan las palabras con un significado distinto al verdadero:

alternativa	por opción (pero incluye 2 opciones).
sendos	por grande (pero es *ambos).*
lívido	por pálido (pero es *morado).*
álgido	por caliente (pero es *frío).*

3. Cuando se emplean *sin necesidad* (tenemos palabras equivalentes) vocablos de otros idiomas:

*anglicismos**
(del inglés)

poster por cartel
garage por cochera
sport por deporte
closet por guardarropa

* La influencia de la cultura norteamericana ha traído graves deformaciones en la pronunciación y en las palabras. Ha introducido por "la fuerza de la costumbre" una serie de vocablos, algunos de los cuales se han tenido que adaptar al español y otros se siguen usando en inglés, a tal grado que algunos escritores han satirizado esto diciendo que hablamos "spanglés": in, out, poster, sport, short, garage, hall, jet, jeep, O.K., y toda la sociedad de consumo transnacional, Coca Cola, General Food, Good Year Oxo, Chrysler, Mobil Oil, Kimberly Clark, Dixon, Pelikan, Holiday Inn. Basta ver lo que nos rodea.

Galicismos
(del francés)

Consignas a *seguir* en vez de *por seguir*
acordar en vez de *otorgar, conceder*
amateur en vez de *aficionado*
bufet en vez de *convite*
desapercibido en vez de *inadvertido.*

Latinismos
(del latín)

Sui géneris por característico.
Ad hoc por apropiadas.
Lato sensu por sentido amplio.

Americanismos
(de Hispanoamérica)

Chancho por cochino
Sulibeyan por excitan.

No pueden ser barbarismos los *neologismos* (palabras nuevas, sucesos y objetos recientes) que designan a un fenómeno, como alunizar, amartizar, antibiótico, radar.

Aquí vale hacer la aclaración que cada país tiene una forma diferente de expresarse por ejemplo en:

España, Argentina y Chile se "pinchan los neumáticos". En México se "ponchan las llantas".
En Cuba se "ponchan las gomas".
En Venezuela se "revientan las tripas".

Cacofonía. Se comete al repetir sílabas o palabras de tal manera que al pronunciarlas producen un sonido desagradable.

*La lá*mina por una lámina o lámina.
*de de*sarrollo por desarrollado o por desarrollarse.
Ban*co con* por banco de.

La cacofonía por lo general es un producto del menor esfuerzo y se puede deshacer en varias combinaciones.

Anfibología. Se comete cuando falta claridad a una expresión, por la forma descuidada en que se colocan las palabras:

María e Inés se fueron a su casa, por:

María e Inés fueron a su casa, o
María fue con Inés a su casa, o
Inés fue con María a su casa, o
María fue con Inés a casa de ésta, o
María e Inés fueron a casa de la primera.

Solecismo se comete cuando:

1. Se usa indebidamente alguno o algunos elementos de la oración:

Me se olvidó por *se me* olvidó.

2. Se comete falta contra las reglas de la concordancia:

Gen*tes* en vez de gen*te*.
Palabra y vocablo nuevo que se introdu*ce*... en vez de palabra y vocablo nuevo que se introdu*cen*...

Monotonía y pobreza de vocabulario. Se comete por la repetición frecuente de las mismas palabras. Se acude a los verbos fáciles como hacer, estar, ser:

No había hecho nada y yo hice que
hiciera el trabajo que debía hacer
por:
El no había hecho nada
pero logré que terminara
el trabajo encomendado.

3.3. HILVANAR PALABRAS

SERIE: CREATIVIDAD

OBJETIVOS: Redactar una historia coherente basada en un conjunto de palabras sueltas.

PROCEDIMIENTO: Con las siguientes palabras se redacta, de una a tres cuartillas, una historia imaginaria. Se usarán todas las palabras y la composición deberá ser lo más coherente posible:
Misterio — oro — torbellino — secreto — tragedia — talisman — fatal — niebla — dominio — reino — huellas — máscara — garra — desaparecido — azul — circo — dos patillas y un paraguas — espejo acusador — ruleta — buitre — plan infernal — número cero — estratagema — implacable — robacorazones.

INSTRUMENTOS: Hojas blancas.

3.4. PALABRAS Y NO PALABRAS: después de leer el siguiente texto escriba su opinión sobre las palabras.

LA PALABRA COMO UTENSILIO (Gonzalo Martín Vivaldi)

No se escribe sólo con palabras.

No es un buen pintor, no puede serlo —afirman los técnicos en la materia—, quien no sepa manejar los colores, quien se atreve a ignorar la calidad de los pigmentos que utiliza: verde esmeralda, carmín alizarina, azul ultramar, negro de humo.

No es buen arquitecto, no puede serlo —calcula uno—, quien desconozca la calidad de diversos materiales de construcción, que ignore cuándo y cómo y dónde se ha de utilizar la piedra, el ladrillo o la madera.

Así el escritor con su "materia prima": la palabra. La precisión en el empleo de vocabulario es —debe ser— una de las exigencias fundamentales en el difícil y nunca bien aprendido arte de escribir.

Pero con ser la palabra utensilio indispensable, no se crea por ello, ingenuamente, que se escribe sólo con vocablos, ni que a mayor dominio, a más riqueza de vocabulario, mejor será el escritor. Si así fuera, bastaría con aprenderse de memoria un diccionario manual para convertirse en artista de la pluma. Pero si hacemos la prueba de contar las voces que integran el *Diccionario* de la Academia y las que conocemos y utilizamos habitualmente, nos asombrará nuestra indigencia, nuestro mísero léxico.

De ahí la servidumbre y la grandeza del escritor: de serlo a pesar de la escasez de sus medios de expresión. Porque aun en el caso imposible de un hombre que manejara todos o casi todos los vocablos de su idioma, tal hombre-monstruo se encontraría en ocasiones —eterno problema del matiz— en la embarazosa situación de dar con la palabra exacta que tal o cual frase necesita o exige.

Tampoco el pintor utiliza en su paleta los miles y miles de tonos que la Naturaleza ofrece: los inagotables matices del verde, del rojo o del amarillo. El buen pintor sabe que basta con unos pocos colores bien manejados, con una sabia combinación de los primarios, secundarios, intermedios y complementarios. A base de ellos —doce en total— se puede obtener una infinita gama colorista. No es por ello mejor pintor el de la paleta mejor curtida, sino quien más hábilmente combina, mezcla y contrasta a base de unos cuantos tonos fundamentales.

Y como el pigmento no es el cuadro, ni el ladrillo la casa, tampoco el vocablo es el libro. Quiere decirse que no se escribe sólo con palabras, escogiéndolas, una a una, como se escogen las manzanas en el mercado de frutas.

La palabra no es la frase.

La palabra —escribe García de Diego, en sus "Lecciones de lingüística"—, *no es nada más que en la frase, y en la frase la palabra no tiene su cúmulo de acepciones, sino una sola, y esta sola acepción no es puro valor de la palabra, sino acepción recibida del contexto o polarizada por él.*

Tampoco el verde de las hojas del olivo o del álamo es siempre el mismo, sino que depende de su contexto, esto es, del aire, de la luz, de la hora —del minuto acaso—, en esa hoja brilla al sol o no brilla a la sombra color huidizo, siempre cambiante, martirio del pintor impresionista que quiera plasmar ese fugaz momento luminoso del paisaje.

La palabra —sigue García de Diego— *elemento de frase, tiene en ella una significación momentánea, determinada por la situación o contexto. La palabra, estrictamente hablando, no tiene significación, sino aptitud de significación. Tal palabra puede recibir las veinte significaciones que el diccionario le asigna, pero también otras que no le asigna.*

Es el problema, por ejemplo, que a todo escritor consciente le plantean los sinónimos. Alguien ha dicho: *De modo absoluto* —escribía Albalat— *puede afirmarse que no hay sinónimos. Pereza, ociosidad, indolencia y holgazanería tienen un sentido diferente.*

Sentido aproximativo de las palabras.

Y es que *el sentido de la palabra* —según Marouzeau— *no puede ser más aproximativo, como nuestro propio pensamiento. La lengua es, además, una construcción imperfecta, muy insuficiente para nuestras necesidades; el material de las palabras resulta importante para expresar todos los aspectos del pensamiento, del sentimiento, de la imaginación. Sin cesar, nuestro vocabulario nos traiciona por defecto. Y también por exceso.*

Un poeta granadino, ha dicho:

Indiferentes, palabras
perdidas. Nadie el acento
de su realidad descubre,
íntimo. Mudo el secreto
de su esencia, como un río
calladas, van hacia el centro
de un mar que creará las nubes
de su sentir verdadero.

La palabra —precisa Marouzeau— *no significa más que lo que en cada caso representa para el que la pronuncia y el que la escucha. ¿Qué significa lago? Para un geógrafo, un elemento de la topografía; para un turista, será la evocación de un alto a la orilla del agua; para un pescador, el recuerdo de un buen día de pesca; para un poeta, acaso no sea más que una reminiscencia de Lamartine.*

Y es que la palabra —como dijera Ortega— implica siempre una transposición, una metáfora.

De ahí que el diccionario, con toda su riqueza de léxico no sea, a fin de cuentas, más que un comentario donde yacen las palabras muertas. Y el escritor, un taumaturgo dotado, dotado del mágico poder de revivir a esos vocablos inertes, de decirles, como a Lázaro, "levántate y anda". Y de transformar, transfigurar así, a la momia, en ser vivo que alienta; de convertir a la palabra-cadáver, en el ser lleno de vida, de significación y de sentido.

Belleza y magia de las palabras

Dicen los lingüistas que hablar es hacer frases, aunque sean de una palabra. La oración —se afirma— fue antes de la palabra, "en el sentido de que las primeras palabras eran oraciones". Así, cuando el hombre primitivo dice "ciervo" o "búfalo", no lo hace para designar a estos animales, sino para emitir un juicio, como "el ciervo viene" o el búfalo ataca".

Análogamente, el balbuceo del niño que empieza a hablar. Cuando el pequeño malpronuncia "guagua" o "tate", en realidad está diciéndonos que "viene el perro" o que "quiere chocolate".

Admitida, pues, la tesis que no se escribe sólo con palabras, sino con frases, forzoso será reconocer que la belleza de un texto escrito no reside en los vocablos aislados, sino en su artística trabazón; depende del modo y sabiduría en utilizarlos; de su empleo más o menos correcto; de su mejor o peor engarce de un trozo literario. La belleza o la profundidad resultan de lo que, sirviéndonos de las palabras como mero vehículo hagamos sentir o pensar al lector.

La descripción de un paisaje —valga el ejemplo— no es más bella porque utilicemos vocablos más o menos sonoros o "distinguidos", sino porque, al escribir, llevemos al ánimo del lector esa belleza que intentamos plasmar, haciéndole partícipe de la misma. De análogo modo, la calidad estética de un cuadro no depende de los colores empleados por el pintor. Los pigmentos están a disposición de todos los artistas en el comercio, como las palabras están, para uso de todos, en el diccionario.

Se cuenta —y el ejemplo viene a cuento— que el gran Van Gogh pintó un día uno de sus inimitables lienzos con sólo dos pigmentos, los que en aquel momento tenía a mano: polvo de añil y hollín de chimenea. Con tan pobre material hizo una obra de arte.

No hay palabras bellas ni feas.

A pesar de lo expuesto (y uno respeta las ajenas opiniones porque no es misión del que esto escribe "sentar cátedra") hay quien cree en la belleza de las palabras *per se.*

La voz "cristal", por ejemplo, obtuvo el primer premio en cierto concurso organizado por un periódico literario, para decidir por votación cuál era la palabra más bella. Y a "cristal", podríamos añadir por nuestra cuenta otras no menos bellas "azul", "plata", "nube", y "viento".

Bien está el dato como simple curiosidad literaria, pero desengañémonos a tiempo: no seremos nunca grandes escritores por muchos "cristales" que intercalemos en nuestra prosa. No; no hay palabras bellas ni feas. Lo que importa no es el sonido del vocablo aislado, sino su cadencia dentro de la frase. Incluso las palabras, que aisladamente pudieran sonar mal, pierden su disonancia si sabemos rodearlas, enguantarlas, con otros vocablos apropiados, que atenúen el posible mal sonido.

Escribir pendiente sólo de las palabras "bellas" es caer

en narcisismo literario; es caer, y ahogarse, en las aguas en que el propio Narciso se contempla.

Ese vocablo que se yergue en la frase por su sola y simple sonoridad, por su rareza de piedra preciosa, es como pincelada color naranja caprichosamente puesta entre el verde sobrio de unas ramas de olivo.

Lo que interesa —al menos en la sana prosa—, lo que creamos debe interesar al lector, que es para quien se escribe a fin de cuentas, no es la voz más o menos bella por sí misma, sino la propia palabra. No es "azul", ni "cristal", ni "brisa", "fuente" o "luna", sino color, transparencia, rumor, luz. . . , es decir, lo que no puede expresarse con una sola palabra, aunque un vocablo baste a veces.

Poder mágico de las palabras.

Lo dicho no significa que desconozcamos voluntariamente el poder mágico de las palabras en poesía —en el dominio del verso, en el arte dramático o en ciertos momentos de oratoria.

Poetas, dramaturgos y oradores saben que la palabra es a veces algo más que un simple vehículo del pensamiento; que es objeto, no medio; protagonista del contexto, creadora de vivencias. Que es lo que viene a decir Ortega, cuando en su estudio sobre Mirabeau, define a la palabra hablada como "un poco de aire estremecido que desde la madrugada confusa del génesis, tiene poder de creación".

Una sola voz: "Sésamo", hacía que se abriera la misteriosa puerta de Alí-Babá. Y los indios de Kipling —refiere André Maurois— iban en busca de la "palabra muestra" que les daría autoridad sobre los hombres y las cosas.

Tan mágico es el poder de la palabra que, sin ella, parece como si el hombre fuera incapaz de comprender la creación del Universo. Así en el "Génesis", no se nos dice que Dios, al pensar el mundo, le diera vida, sino que Dios al crear, habló: *Y dijo Dios "hágase la luz". Y la luz fue hecha.*

La pluma del poeta, según Shakespeare, da contorno a las cosas:

"...y a lo etéreo y vacío
lo dota de habitáculo y de nombre."

Nombrar las cosas es un modo de infundirles vida. Es lo que expresa aquella copla de Antonio Machado:

"Dicen que el hombre no es hombre
mientras que no oye su nombre
de labios de una mujer.
Puede ser."

Sólo la poesía —escribió Keats— *puede decir sus sueños; sólo con el hechizo de las palabras puede salvar la imaginación de la oscura cadena y el mudo encantamiento.*

Cada obra eterna de la literatura no es tanto una victoria del lenguaje, como una victoria sobre el lenguaje: una súbita inyección de percepciones vivificantes en el vocabulario que, de no ser por la energía del literato creador, se hallaría perpetuamente al borde del agotamiento.

Pero el hechizo de las palabras, su magia —no importa repetir el concepto—, no está en ellas mismas, aisladas, desgajadas de la frase o de periodo. La palabra iluminada es como estrella que, a su luz propia, une la luz recibida de otras estrellas vecinas.

Pretender escribir a base de palabras "bonitas", escogidas, sería tanto como querer un paisaje en donde sólo hubiera cuidadas flores de invernadero.

Y transformar así la obra poética en escaparate de bisutería.

B. *Problemas de expresión escrita*

Escribir por escribir es un camino fácil, sacar palabras sin ordenarlas, sin darles sentido,es la forma más rápida de no aprender a escribir.

Usar otro tipo de lenguajes como el gráfico o el mínimo a veces no es suficiente (v. ejercicio de "historieta"). Así como escribir con una sola letra tiene sus limitantes (v. ejercicio de "creatividad con una letra") y también con una sola palabra aunque puede generarse toda una composición (v. ejercicio "Composición alrededor de una palabra") o bien con una palabra combinada se pueden crear movimientos en la mente (v. "El juego de la sintaxis").

Pero pasar del apoyo en otros lenguajes hasta el juego con el lenguaje escrito, requiere tomar en cuenta ciertos problemas con el idioma. Entre los principales están: la puntuación, la voz activa, la pasiva, el uso de las preposiciones, el abuso del gerundio, el relativo, el uso de los pronombres; el orden de la oración y los vicios de dicción.

A continuación hay un conjunto de ejercicios que tratan estos problemas.

3.5. DIGALO CON MIL LENGUAJES

OBJETIVOS: Descubrir la necesidad de comunicarse adecuadamente a través del uso de cualquier tipo de lenguaje. Cambiar un género a otro sin perder el mensaje. Con este ejercicio se pueden hacer múltiples combinaciones como cambiar prosa a poesía; poesía a imagen; prosa a números; prosa a collage; un argumento a tiras cómicas; collage a fotos, fotos a prosa y así sucesivamente.

PROCEDIMIENTO: A partir de la lectura de un cuento o poesía los alumnos lo transformarán en collage o en imágenes, pegando recortes de revistas sobre una cartulina o media cartulina.

Los trabajos se mostrarán en equipos de cuatro alumnos quienes discutirán la efectividad del mensaje que trasmitieron en sus cartulinas.

El profesor observará el desarrollo del ejercicio y les preguntará si fueron comprendidos, cada alumno después de escuchar a los demás, dará la opinión sobre su propio trabajo.

Los equipos sacarán sus conclusiones.

INSTRUMENTOS: — hojas,
— revistas con ilustraciones;
— tijeras;
— cartulinas;
— pegamento;
— Un cuento o poesía.

3.6. HISTORIETAS

OBJETIVOS: Desarrollar la imaginación creativa.
Redactar un texto coherente con los dibujos que se presentan.

PROCEDIMIENTO: Redactar los textos en la parte baja de cada dibujo de la historieta siguiente.

INSTRUMENTOS NECESARIOS: Dibujos.

3.7. CREATIVIDAD CON UNA LETRA

SERIE: CREATIVIDAD

OBJETIVOS: Desarrollar la imaginación creativa. Redactar una composición coherente.

PROCEDIMIENTO: Se elegirá una letra cualquiera del alfabeto. Redactará una composición de 10 líneas mínimo y 27 máximo. La letra deberá incluirse en todas las palabras que se empleen ya sea al principio, en medio o al final. La composición deberá ser lo más coherente posible. Podrá auxiliarse del diccionario.

INSTRUMENTOS:

— Hojas blancas;
— diccionario (opcional).

3.8. COMPOSICION ALREDEDOR DE UNA PALABRA

OBJETIVOS: Desarrollar la imaginación creativa.
Redactar una composición en un mínimo de cuartilla y media y un máximo de tres.

PROCEDIMIENTO: Con base en una palabra, el alumno escribirá una historia real o ficticia.
Puede seleccionarse cualquier palabra alrededor de la cual ocurra el hecho que se va a narrar.
Un buen comienzo es tomar el diccionario y apuntar aquello que nos dice sobre la palabra seleccionada.
De ahí, la integración del escrito se complementa con la imaginación creativa, o se basa en hechos conocidos.

INSTRUMENTOS:
— Hojas blancas;
— diccionario (opcional).

3.9. EL JUEGO DE LA SINTAXIS

OBJETIVOS: Desarrollar la imaginación creativa.
Redactar una composición de media cuartilla mínimo y dos cuartillas máximo.

PROCEDIMIENTO: A partir de una frase simple u oración simple, el alumno cambiará el orden de todos sus elementos gramaticales, integrará una o varias palabras que se relacionen con la oración; asimismo, podrá suprimir algunas palabras y transformar la misma frase. Alterará sus elementos gramaticales cuantas veces sea necesario.

EJEMPLO:

EL GRAFOGRAFO

Escribo. Escribo que escribo. Mentalmente me veo escribir que escribo y también puedo verme ver que escribo. Me recuerdo escribiendo ya y también viéndome que escribía. Y me veo recordando que me veo escribir y me recuerdo viéndome recordar que escribía y escribo viéndome escribir que recuerdo haberme visto escribir que me veía escribir que recordaba haberme visto escribir que escribía y que escribía que escribo que escribía. También puedo imaginarme escribiendo que ya había escrito que me imaginaría escribiendo que había escrito que me imaginaba escribiendo que me veo escribir que escribo.

(Salvador Elizondo.)

INSTRUMENTOS: Hojas blancas.

3.10. "COMICS"

Objetivos: Desarrollar la imaginación creativa.
Redactar un texto coherente en lenguaje coloquial.

Procedimiento: Tapar con papel blanco todos los textos de un cuento, de preferencia de Walt Disney o algún otro de personajes creados en Estados Unidos o en otro país.
Redactar sobre los textos tapados una historieta coherente en lenguaje coloquial, adaptada a situaciones reales de la vida cotidiana en México.

Instrumentos necesarios: Cuento con los textos tapados.

3.11. GRAMATICOGRAMA

OBJETIVO: Identificar algunas partes fundamentales de la gramática tradicional.

PROCEDIMIENTO: Se resolverá el crucigrama respondiendo a las columnas horizontales y verticales según se pide.

INSTRUMENTOS NECESARIOS: Crucigrama, preguntas horizontales y verticales.

LECTURA RECOMENDADA: *Gramática española moderna* de Santiago Revilla, Ed. Mc Graw-Hill.

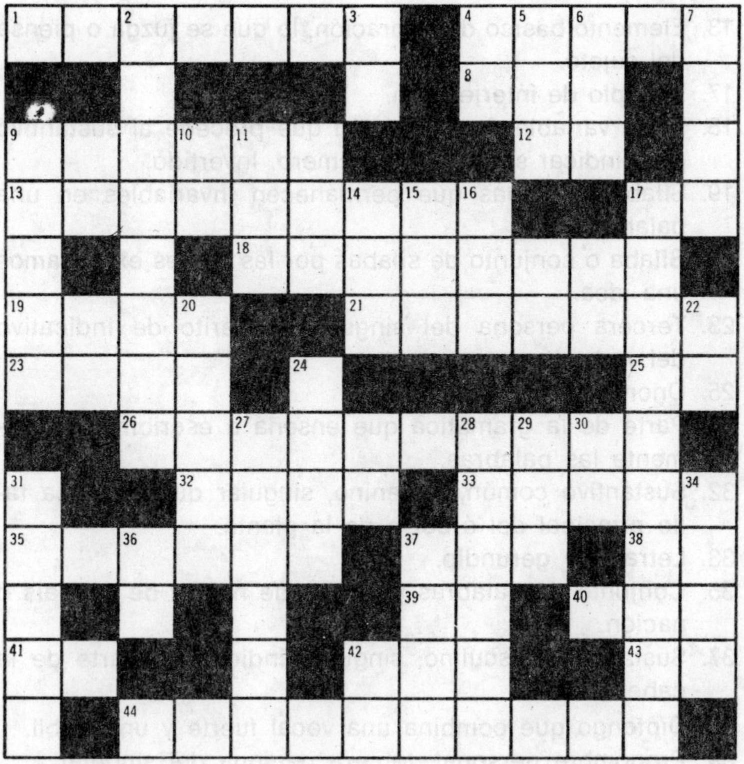

HORIZONTALES

1. La menor unidad del habla con sentido completo.
4. Parte variable de la oración que expresa acción relativa a una persona y tiempo determinados.
8. Prefijo griego que se utiliza con *p* o sin *p*. Invertido.
9. Parte estructural de la oración sobre la cual se afirma algo.
12. Terminación singular que forma su plural con la *c*.

13. Elemento básico de la oración, lo que se juzga o piensa del sujeto.
17. Ejemplo de interjección.
18. Parte variable de la oración que precede al sustantivo para indicar su género y número. Invertido.
19. Sílaba o sílabas que permanecen invariables en una palabra.
21. Sílaba o conjunto de sílabas por las cuales expresamos una idea.
23. Tercera persona del singular, pretérito de indicativo del verbo tener.
25. Onomatopeya del frío.
26. Parte de la gramática que enseña a escribir correctamente las palabras.
32. Sustantivo común, femenino, singular que significa tallo principal del árbol o de la planta.
33. Letras de gerundio.
35. Conjunto de palabras y modos de hablar de un país o nación.
37. Sustantivo masculino, singular, indica una parte de la cabeza.
38. Diptongo que combina una vocal fuerte y una débil.
39. Pronombre personal, tercera persona del singular.
40. Escuela Superior de Medicina. Iniciales.
41. Monosílabo que indica negación.
42. Abreviatura de matemáticas.
43. Apócope de mamá.
44. Forma verbal constituida por el radical del verbo y las terminaciones *ado, ido, to, so, cho.*

VERTICALES

2. Parte variable de la oración. Se clasifica en calificativos y determinativos.
3. Conjunción copulativa.

5. Pronombre demostrativo masculino, singular.
6. Rosendo Pérez Zacarías (Inic.).
7. Primera persona del singular, presente de indicativo del verbo ARMAR. Invertido.
9. Ejemplo de anglicismo.
10. Preposición que significa posesión. Invertido.
11. Sustantivo común, masculino, singular que significa el hermano del padre o de la madre de una persona.
14. Sustantivo común, femenino, singular que significa punta aguda. Invertido.
15. Daniel Carrillo Ariza. Iniciales.
16. Nombre del petróleo en lengua inglesa a menudo usada como barbarismo en la propaganda comercial.
17. Vicio de dicción muy frecuente.
20. Sustantivo común, singular, masculino que significa animal carnívoro.
22. Terminación en infinitivo.
24. Sustantivo propio femenino singular que indica el nombre de una ciudad europea.
27. Sustantivo masculino singular que indica el nombre de un instrumento musical.
28. Tres primeras sílabas a la parte variable de la oración que acompaña al sustantivo para calificarlo o determinarlo.
29. Adjetivo calificativo, singular, masculino.
30. Ejemplo de un diptongo de vocales débiles.
31. Expresión del lenguaje escrito. Singular.
34. Sustantivo común, femenino, singular que significa instrumento para borrar.
36. Anglicismo que significa "estar a la moda", "estar dentro".
37. Accidente gramatical que indica el oficio de una palabra dentro de la oración. Invertido.
42. Pronombre posesivo.

RESPUESTAS:

3.12. SI ERES JOVEN

Objetivos: Distinguir palabras que se escriben diferente pero que suenan igual.

Procedimiento: El maestro dictará el siguiente texto dos veces. Primero hará una lectura rápida y, luego, una lectura pausada para que los alumnos escriban.

Instrumentos necesarios: Texto y hojas blancas.

SI ERES JOVEN. . .

Si eres joven has pasado del mero aprender al aprehender los secretos de la vida. Es la etapa del constante devenir de la sima hacia la cima. Son los grandes cambios que encauzan a una persona positivamente, o simplemente se encausan sus resultados. Es la época de avocar amigos, pareja, y de abocar ante los ideales supremos de esta etapa.

El adolescente parece adolecer de lo mitificado y lo cambia por lo mixtificado. Es un incipiente locuaz y no por ello insipiente o falaz. Pero tiene muchas cualidades: como el poner a toda intención una gran intensión, como abrazar sinceramente hasta abrasar el alma. Del dicho al hecho no echa ningún trecho, casi nunca su acervo de virtudes conoce un carácter acerbo; ante un acto despecho prefiere la calma a terminar en vil deshecho. Es capaz de subir hasta un asta y, ¡vaya si puede sortear una valla! Aprende a grabar en su memoria lo pesado que es gravar con las obligaciones. Algunos piensan que el joven es basto, es burdo, pero hay que conocerlo para saber que tiene un vasto corazón.

Sólo quien haya caminado por la vida sabrá hallar el valor de un joven. . . y volverá a ser joven.

3.13. TRES BELLAS. . .

Objetivos: Ejercitar la puntuación.

Procedimiento: El maestro contará en voz alta la siguiente anécdota y escribirá el verso sin ninguna puntuación sobre el pizarrón.

El alumno, a su vez, escribirá las versiones de las tres bellas y la del poeta, poniendo la puntuación en cada caso.
Se podrá escribir en el pizarrón cada una de las versiones después de haber terminado el ejercicio.

Instrumentos necesarios: Anécdota y hojas blancas.

ANECDOTA

Cuéntase que un poeta era asediado por tres jóvenes casaderas continuamente. Un día, ante tantas presiones, el poeta mandó el siguiente verso a las bellas sin ninguna puntuación:

Tres bellas que bellas son
me han exigido las tres
que diga de ellas cuál es
la que ama mi corazón
Si obedecer es razón
diré que amo a Soledad
no a Pura cuya bondad
persona humana no tiene
no inspira mi amor Irene
que no es poca su beldad.

Soledad afirmó ser la elegida y leyó así el verso:

Tres bellas, que bellas son,
me han exigido las tres
que diga de ellas, cuál es
la que ama mi corazón.
Si obedecer es razón,
diré: que amo a Soledad;

no a Pura, cuya bondad
persona humana no tiene;
no inspira mi amor Irene,
que no es poca su beldad.

—Se equivocan —dijo Pura—, la elegida soy yo—, y así leyó el verso:

Tres bellas, que bellas son,
me han exigido las tres
que diga de ellas, cuál es
la que ama mi corazón.
Si obedecer es razón,
diré: ¿qué amo a Soledad?
¡No!. . . ¡A Pura!, cuya bondad
persona humana no tiene.
No inspira mi amor Irene,
que no es poca su beldad.

Pero Irene, refutando a las dos anteriores, dijo que era ella la elegida y leyó así el verso:

Tres bellas, que bellas son,
me han exigido las tres
que diga de ellas, cuál es
la que ama mi corazón.
Si obedecer es razón,
diré: ¿qué amo a Soledad?
¡No! ¿A Pura, cuya bondad
persona humana no tiene?
¡No! . . . Inspira mi amor Irene,
que no es poca su beldad.

Ante la duda, las tres bellas decidieron preguntar al poeta quién era la elegida y el poeta, bohemio y poco amante del matrimonio, les envió de nuevo el verso ahora con puntuación:

Tres bellas, que bellas son,
me han exigido las tres
que diga de ellas, cuál es
la que ama mi corazón.
Si obedecer es razón,
diré: ¿qué amo a Soledad?
¡No! ¿A Pura, cuya bondad
persona humana no tiene?
¡No! ¿Inspira mi amor Irene?
¡Que no!, ¡es poca su beldad!

3.14. HORRORES Y ERRORES GRAMATICALES
(Ejercicios programados)

OBJETIVOS: Identificar algunos errores gramaticales que se cometen al hablar y escribir en preposiciones, verbos, gerundios, vicios de dicción, género, número, vocabulario.

PROCEDIMIENTO: Se resolverán los siguientes ejercicios, doblando la hoja por la línea como se indica para evitar ver las respuestas.
Después podrán compararse las respuestas.
Algunos ejercicios necesitan del diccionario.

INSTRUMENTOS NECESARIOS:
—ejercicios
—diccionario

LECTURAS RECOMENDADAS: *Curso de redacción* de Gonzalo Martín Vivaldi, Ed. Paraninfo.
Curso de redacción dinámica de Hilda Basulto, Ed. Trillas.

3.14.1. GENERO

DOBLAR POR LA RAYA

INSTRUCCIONES: Escribir en la línea de la derecha el femenino correspondiente.

poeta	______________	poetisa
sacerdote	______________	sacerdotisa
profeta	______________	profetisa
abad	______________	abadesa
conde	______________	condesa
héroe	______________	heroína
zar	______________	zarina
jabalí	______________	jabalina
yerno	______________	nuera
hombre	______________	mujer
macho	______________	hembra
institutor	______________	institutriz
actor	______________	actriz
caballo	______________	yegua
carnero	______________	oveja

DOBLAR POR LA RAYA

3.14.2. PLURALES DUDOSOS

INSTRUCCIONES: Escriba el plural en la línea de la derecha.

síes	sí	____________
oes	o	____________
exámenes	examen	____________
jóvenes	joven	____________
hazmerreír	hazmerreír	____________
álbumes	álbum	____________
tórax	tórax	____________
caracteres	carácter	____________
ómnibus	ómnibus	____________
regímenes	régimen	____________
autobuses	autobús	____________
fénix	fénix	____________
dieces	diez	____________
padrenuestros	padrenuestro	____________
fraques	frac	____________
clubes	club	____________
lápices	lápiz	____________
pies	pie	____________
patas de gallo	pata de gallo	____________
cortos circuitos	corto circuito	____________
cielos rasos	cielo raso	____________
ojos de buey	ojo de buey	____________
medio locos	medio loco	____________
faces	faz	____________
champúes	champú	____________
gluglúes	gluglú	____________
clipes	clip	____________
Cubalibres	Cuba-libre	____________
whiskys	whisky	____________
yogures	yogur	____________

3.14.3. USO DE LOS ACENTOS

DOBLAR POR LA RAYA

INSTRUCCIONES: En la línea de la izquierda poner una "C" a la forma correcta y una "I" a la forma incorrecta.

_______	Se expatrian voluntariamente.	C
_______	Se expatrían voluntariamente.	I
_______	Denos eso.	I
_______	Dénos eso.	C
_______	Fuése en seguida.	I
_______	Fuese en seguida.	C
_______	Estudiabais con esmero.	C
_______	Estudiábais con esmero.	I
_______	El banco lo financía.	I
_______	El banco lo financia.	C
_______	Dioles lo que pedían.	C
_______	Dióles lo que pedían.	I
_______	Digale que no.	I
_______	Dígale que no.	C
_______	Licua ese melón.	C
_______	Licúa ese melón.	I
_______	Lo adecuo para que esté correcto.	C
_______	Lo adecúo para que esté correcto.	I

DOBLAR POR LA RAYA

3.14.4. USO DE LOS VERBOS

INSTRUCCIONES: En la línea de la izquierda poner una "C" a la forma correcta y una "I" a la forma incorrecta.

I	______	El herrero solda piezas.
C	______	El herrero suelda piezas.
C	______	Si tradujera mejor.
I	______	Si traduciera mejor.
I	______	Tal vez eligiría bien.
C	______	Tal vez elegiría bien.
I	______	Lo prevee todo.
C	______	Lo prevé todo.
C	______	Lo indujo a hacerlo.
I	______	Lo inducíó a hacerlo.
I	______	Vayámosnos juntas.
C	______	Vayámonos juntas.
C	______	Dense las manos.
I	______	Desen las manos.
I	______	Lo satisfació plenamente.
C	______	Lo satisfizo plenamente.
I	______	Engrosan rápidamente.
C	______	Engruesan rápidamente.
I	______	No desiertes ahora.
C	______	No desertes ahora.
C	______	Me conduje mal.
I	______	Me conducí mal.
I	______	Andó largo tiempo.
C	______	Anduvo largo tiempo.
I	______	Cuando lo haigamos hecho.
C	______	Cuando lo hayamos hecho.
C	______	Invirtió mucho dinero.
I	______	Invertió mucho dinero.
I	______	Ayer veniste tarde.
C	______	Ayer viniste tarde.

		DOBLAR POR LA RAYA
______	Voy a reveer el asunto.	I
______	Voy a rever el asunto.	C
______	Debes vertir la leche.	I
______	Debes verter la leche.	C
______	Previó que lo haría.	C
______	Preveyó que lo haría.	I
______	Me ha contradecido.	I
______	Me ha contradicho.	C
______	Vitoreé al vencedor.	C
______	Vitorié al vencedor.	I
______	Cuezo las papas.	C
______	Cozo las papas.	I
______	Me forza a hacerlo.	I
______	Me fuerza a hacerlo.	C
______	Prevee que gane México.	I
______	Prevé que gane México.	C

DOBLAR POR LA RAYA

3.14.5. USO DE TIEMPOS Y MODOS

INSTRUCCIONES: En la línea de la izquierda poner una "C" a la forma correcta y una "I" a la incorrecta.

I	______	Pienso que vendrá pronto.
C	______	Pienso que venga pronto.
I	______	Según dijera el escritor.
C	______	Según dijo el escritor.
I	______	Quizá vamos a Toluca.
C	______	Quizá vayamos a Toluca.
I	______	Saldrá, caiga quien caiga.
C	______	Saldrá, caiga quien cayere.
I	______	Ayer venimos a tiempo.
C	______	Ayer vinimos a tiempo.
I	______	Mañana voy contigo.
C	______	Mañana iré contigo.
I	______	Como si fuere poco, vino.
C	______	Como si fuera poco, vino.
I	______	Dijo que le dé el nombre.
C	______	Dijo que le diera el nombre.
I	______	No creí que él llegaba.
C	______	No creí que él llegase.
I	______	Me pregunto si lo hacías siempre.
C	______	Me pregunto si lo harías siempre.

3.14.6. USO DE PREPOSICIONES

INSTRUCCIONES: En la línea de la izquierda ponga una "C" a la forma correcta y una "I" a la incorrecta.

		DOBLAR POR LA RAYA
______	México a 27 de julio.	I
______	México, 27 de julio.	C
______	De acuerdo a.	I
______	De acuerdo con.	C
______	Estoy segura que vendrá.	I
______	Estoy segura de que vendrá.	C
______	Basta con verla.	I
______	Basta verla.	C
______	De arriba a abajo.	I
______	De arriba abajo.	C
______	Visité a Michoacán.	I
______	Visité Michoacán.	C
______	A base de.	I
______	Sobre la base de.	C
______	En base a.	I
______	Basado en.	C
______	Con base en.	C
______	Mitin a realizarse.	I
______	Mitin por realizarse.	C
______	Debajo la puerta.	I
______	Debajo de la puerta.	C
______	Trajiste agua de colonia.	C
______	Trajiste agua colonia.	I
______	Cocinó a baño de María.	C
______	Cocinó a baño María.	I
______	Se compra al por mayor.	I
______	Se compra por mayor.	C
______	En nivel de.	C
______	A nivel de.	I
______	Respecto de este tema.	C
______	Respecto este tema.	I

DOBLAR POR
LA RAYA

C	______	En relación con.
I	______	En relación a.
I	______	Actuó de *motu propio.*
C	______	Actuó *motu propio.*
I	______	El segundo de entre ellos.
C	______	El segundo entre ellos.
I	______	Con tal de que salga.
C	______	Con tal que salga.
I	______	A menos de que venga.
C	______	A menos que venga.
I	______	Se acordó que la tenía.
C	______	Se acordó de que la tenía.
C	______	Antes de que lo hiciera.
I	______	Antes que lo hiciera.
I	______	Mirarse al espejo.
C	______	Mirarse en el espejo.
I	______	Hagamos de cuenta.
C	______	Hagamos cuenta.
C	______	Ejecutar en el piano.
I	______	Ejecutar al piano.
I	______	Deberá estar cansado.
C	______	Deberá de estar cansado.
I	______	A cuenta de.
C	______	Por cuenta de.
I	______	En honor al padre.
C	______	En honor del padre.
I	______	Escapó al peligro.
C	______	Escapó del peligro.
I	______	Bajo el gobierno.
C	______	Durante el gobierno.
I	______	Contar con los dedos.
C	______	Contar por los dedos.

		DOBLAR POR LA RAYA
______	Ama tus semejantes.	I
______	Ama a tus semejantes.	C
______	Es diferente a esto.	I
______	Es diferente de esto.	C
______	Máquina a vapor.	I
______	Máquina de vapor.	C
______	Disentir con algo.	I
______	Disentir de algo.	C
______	Cumplo en decírselo.	I
______	Cumplo con decírselo.	C
______	Se reparte a litros.	I
______	Se reparte por litros.	C
______	Cuanto más caro.	C
______	Entre más caro.	I
______	Está de venta.	I
______	Está en venta.	C
______	Llegó de casualidad.	I
______	Llegó por casualidad.	C
______	Quedó de venir.	I
______	Quedó en venir.	C
______	Al instante de salir.	I
______	En el instante de salir..	C
______	Gusto de conocerla.	I
______	Gusto en conocerla.	C
______	Ese no lo estimo.	I
______	A ése no lo estimo.	C
______	Lo dice de verdad.	I
______	Lo dice en verdad.	C
______	Protestan de todo.	I
______	Protestan contra todo.	C
______	Quedó que así lo haría.	I
______	Quedó en que así lo haría.	C

DOBLAR POR
LA RAYA

I	______	Hablen más el asunto.
C	______	Hablen más del asunto.
C	______	De acuerdo con lo resuelto.
I	______	De acuerdo a lo resuelto.
I	______	Bajo el punto de vista.
C	______	Desde el punto de vista.
I	______	Se quedó el importe.
C	______	Se quedó con el importe.

3.14.7. USO Y ABUSO DEL GERUNDIO

DOBLAR POR LA RAYA

INSTRUCCIONES: En las frases siguientes el gerundio está usado de manera inadecuada, suprímase el gerundio por una forma adecuada.

Llegó el director, iniciándose el acto de inmediato.

Forma correcta: ______

Llegó el director y se inició el acto de inmediato

Estaba disparando un tiro. ______

Forma correcta: ______

Disparaba un tiro

Había una caja conteniendo lápices.

Forma correcta: ______

Había una caja que contenía lápices

Estando a su disposición, lo saludo cordialmente.

Forma correcta: ______

Estoy a su disposición, lo saludo cordialmente

Se dictó la sentencia disponiendo su culpabilidad.

Forma correcta: ______

Se dictó la sentencia que dispuso su culpabilidad

Estaba marcando un libro.

Forma correcta: ______

Marcaba un libro

Se golpeó, muriendo al otro día.

Forma correcta: ______

Se golpeó y murió al otro día

Hay instrucciones reglamentando el juego.

Forma correcta: ______

Hay instrucciones que reglamentan el juego

DOBLAR POR LA RAYA

3.14.8. NEGATIVO Y POSITIVO

Cambie el negativo al positivo

Ejemplos:

	No deje de indicarnos	Indíquenos
	No quiero ignorar	Quiero saber
Conocemos	No desconocemos	______
Son desleales	No son leales	______
La ausencia de fe	La no existencia de fe	______
Desconociendo eso	No conociendo eso	______
Eso es barato.	Eso no es caro	______
Estará ausente	No estará presente	______
Quisiera recordar	Quisiera no olvidar	______
Al ignorar su opinión	Al no saber su opinión	______
Está poco seguro	No está muy seguro	______
Sean sinceros	No sean insinceros	______
Su ausencia de la clase	Su no concurrencia a la clase	______
Lo harán	No dejarán de hacerlo	______

3.14.9. USO DE CARDINALES

DOBLAR POR LA RAYA

INSTRUCCIONES: Escriba en la línea el nombre del cardinal

Ejemplo:

16	dieciséis	
19	______________	diecinueve
22	______________	veintidós
26	______________	veintiséis
29	______________	veintinueve
32	______________	treinta y dos
84	______________	ochenta y cuatro
111	______________	ciento once
200	______________	doscientos
602	______________	seiscientos dos
1,100	______________	mil ciento o mil cien
21,000	______________	veintiún mil o veintiuna mil
999,999	______________	novecientos noventa y nueve mil novecientos noventa y nueve.

DOBLAR POR
LA RAYA

3.14.10. USO DE ORDINALES

INSTRUCCIONES: Escriba en la línea el nombre del ordinal

Ejemplo:

	1o.	primero
tercero	3o.	______
décimo	10o.	______
duodécimo	12	______
décimoquinto	15	______
décimonoveno o décimonono	19	______
vigésimo primero	21	______
sexagésimo	60	______
octogésimo	80	______
centésimo segundo	102	______
duecentésimo	200	______
tricentésimo	300	______
cuadringentésimo	400	______
quingentésimo	500	______
sexcentésimo	600	______
septingentésimo	700	______
octingentésimo	800	______
noningentésimo	900	______
noningentésimo nonagésimo nono	999	______

3.14.11. USO DE PARTITIVOS

DOBLAR POR LA RAYA

INSTRUCCIONES: Escriba en la línea el nombre del partitivo

Ejemplo:

2	mitad	
3	______	tercio
7	______	séptimo
11	______	onzavo
12	______	dozavo
13	______	trezavo
16	______	dieciseisavo
19	______	diecinueveavo
20	______	veintavo
22	______	veintidosavo
30	______	treintavo
60	______	sesentavo
90	______	noventavo
100	______	céntimo o centavo

DOBLAR POR LA RAYA

3.14.12. ADVERBIOS Y MODOS ADVERBIALES

INSTRUCCIONES: Escriba en la línea correspondiente el adverbio o modo adverbial equivalente

Ejemplos:

	Tristemente	con tristeza, de modo triste
	A escondidas	subrepticiamente, en forma oculta
con audacia	Audazmente	______
fatigosamente	A costa de fatiga	______
por lo general	Generalmente	______
sucesivamente	En lo sucesivo	______
de modo atento	Atentamente	______
copiosamente	A cántaros	______
en silencio	Silenciosamente	______
posiblemente	A lo mejor	______
en definitiva	Definitivamente	______
regularmente	Por lo regular	______
de modo inútil	Inútilmente	______
rápidamente	En el acto	______
en lo íntimo	Intimamente	______
conscientemente	A sabiendas	______
de manera cortés	Cortésmente	______
gustosamente	De buen grado	______
en forma bella	Bellamente	______
anticipadamente	De antemano	______
con ceguera	Ciegamente	______
plenamente	De lleno	______
por lo común	Comúnmente	______

3.14.13. USO DE ACENTOS DIACRITICOS

DOBLAR POR LA RAYA

INSTRUCCIONES: El acento diacrítico se coloca en una palabra para distinguirla de otra de igual grafía pero distinto significado. Escriba el acento en una de las palabras subrayadas según le corresponda.

Aun cuando no habló sabemos que *aun* lo quiere	aun, aún
¿*Como* lo conseguiste? Te habrá costado *como* cien pesos	cómo, como
Aquellas que se ven *cual* mariposas, o éstas, ¿*cual* quieres?	cual, cuál
Es que *cuando* tú lo dices no sé *cuando* llegas	cuando, cuándo
Dígale que me *de* dos *de* esos dulces	dé, de
El chico de ayer sí, *el* lo sabía	el, él
Eran *mas* de cuatro jóvenes *mas* no era suficiente	más, mas
¿Que *porque* es así mi conducta? *Porque quiero*	porqué, porque
No sé *por que* te vas si así es el pensamiento *porque* me rijo	por qué, por que
¿*Quien* dijo? *quien* quiera que haya sido tenía razón	quién, quien
Se que no debo hacerlo pero él *se* ha marchado	sé, se
Tu no lo sabes pero ella tomó *tu* libro	tú, tu
Estoy *solo* y tengo *solo* dos opciones	solo, sólo
Si le preguntas te dirá que *si*	si, sí
¡*Que* calor! Ojalá *que* lloviera	qué, que
Si se refiere a *mi*, deme *mi* nota	mí, mi

DOBLAR POR LA RAYA

3.14.14. SIGNIFICADOS DIFERENTES

INSTRUCCIONES: Poner debajo de cada frase el significado correspondiente.

Ejemplo:

Correr a la liebre: perseguirla
Correr la liebre: tener hambre

arruinarlo moralmente	Perder a un amigo ______
quedar sin él	Perder un amigo ______
determinada	Busco a una persona ______
cualquiera	Busco una persona ______
que castigue	Lo mandó a castigar ______
que lo castiguen	Lo mandó castigar ______
supongo que vendrá	Debe de venir ______
tiene obligación de venir	Debe venir ______
desde corta distancia	Mirar de cerca ______
a corta distancia	Mirar cerca ______
terminó su periodo	Salió de senador ______
fue electo senador	Salió senador ______
representaban	Hacían de payasos ______
fabricaban	Hacían payasos

	DOBLAR POR LA RAYA
Pintan en la casa	dentro de ella
Pintan la casa	a ella
Se sentó a la mesa	junto a ella
Se sentó en la mesa	encima de ella
Trabaja de balde	gratuitamente
Trabaja en balde	infructuosamente
Viaja en pie	parado
Viaja a pie	caminando
Lo hizo de pie	parado
Lo hizo a pie	con los pies
Pintó a todos	todos fueron pintados
Pintó para todos	dedicó lo pintado
Lo dijo de propósito	con intención
Lo dijo a propósito	refiriéndose a
Está con cuidado	cuidadosamente
Está de cuidado	muy enfermo

3.14.15. REDUNDANCIAS FORMALES

DOBLAR POR LA RAYA	*Formas redundantes*	*Formas correctas*
	Ejemplo: El día de hoy	Hoy
Aterido	Aterido de frío	
Partitura	Partitura musical	
Mendrugo	Mendrugo de pan	
Lapso	Lapso de tiempo	
Prever	Prever de antemano	
Reitero	Vuelvo a reiterar	
Subrayó	Subrayó debajo	
Tiritaba	Tiritaba de frío	
La mejor voluntad	La mejor buena voluntad	
Imaginar	Imaginar idealmente	
Evidente	Evidente y notorio	
Subir	Subir arriba	
Salir	Salir afuera	
Presteza	Rápida presteza	
Presuponer	Presuponer antes	
Volar	Volar en el aire	
Alza	Alza de precios	
Horizonte	Línea del horizonte	
Jamón	Pierna de jamón	
Jauría	Jauría de perros	
Cardumen	Cardumen de peces	
Recordar	Recordar de memoria	
Calzón	Calzón corto	
Hemorragia	Hemorragia de sangre	
Constelación	Constelación de estrellas	
Diccionario	Diccionario de voces	
Proseguir	Proseguir adelante	
Resumir	Resumir brevemente	
Notita	Pequeña notita	

3.14.16. USO DE HASTA

DOBLAR POR LA RAYA

INSTRUCCIONES: En la línea de la izquierda poner una "C" a la forma correcta y una "I" a la forma incorrecta.

_______	Hasta el año próximo empezará a estudiar	I
_______	Hasta el año próximo no empezará a estudiar	C
_______	Hasta que usé una camisa M. me sentí a gusto	I
_______	Hasta que usé una camisa M. no me sentí a gusto	C
_______	El tranvía no da vuelta hasta la esquina	C
_______	El tranvía da vuelta hasta la esquina	I
_______	Hasta el jueves saldrán los viajeros	I
_______	Hasta el jueves no saldrán los viajeros	C
_______	Hasta que me lo dijo no lo supe	C
_______	Hasta que me lo dijo lo supe	I
_______	Lo sabremos hasta que regresen	I
_______	No lo sabremos hasta que regresen	C
_______	Entregue el trabajo hasta que se indique	I
_______	No entregue el trabajo hasta que se indique	C

3.14.17. "COSISMO"

INSTRUCCIONES: Sustituir la palabra "cosa" por el vocablo o vocablos más apropiados.

DOBLAR POR LA RAYA	
asunto, preocupación, interés	1. Esto es cosa suya: ______
virtud, cualidad, conducta	2. El altruismo es cosa rara: ______
esto, lo siguiente	3. Dígame una cosa: ______
objetos	4. Hace muchas cosas bellas: ______
sucesos, hechos	5. Son cosas de la vida: ______
intereses, asuntos	6. Administra la cosa pública ______
comestibles, alimentos	7. Trajeron cosas para comer: ______
callo, verruga	8. Le creció una cosa dura: ______
útiles, plumas	9. Traiga las cosas para escribir: ______
lo difícil	10. La cosa es acertar: ______
el asunto	11. La cosa es tener tiempo: ______
cerca, tanto como	12. Falta cosa de dos kilómetros: ______
obra, acción	13. Parece cosa del diablo: ______
sucesos, anécdotas	14. Contaba cosas del pueblo: ______
instrumentos	15. Esas cosas para tocar el concierto: ______
actitud, conducta	16. Su agravio es una cosa indigna: ______
contenido, tema	17. Ignoraba las cosas de la lección: ______
obstáculo	18. Se interpuso una cosa en el camino: ______
aventuras, hechos	19. Pasaron muchas cosas en el viaje: ______
decisión, actitud	20. Su determinación es cosa segura: ______
obra, producción	21. El cuadro era una cosa hermosa: ______
sensación	22. Tengo una cosa rara entre los dientes: ______
equipaje, valijas	23. Llévate sus cosas a la terminal: ______
mercancías	24. Llegaron a la tienda las cosas que pidieron: ______

	DOBLAR POR LA RAYA
25. Una cosa lo acongojaba: ______________________	pesar, pena
26. ¡Qué cosa linda es el bebé! ______________________	criatura
27. Hizo cosas malas en su vida: ______________________	acciones
28. El padre tiene cosas que no entendemos: ______________________	razones, motivos
29. Ahí están las cosas que redacté: ______________________	cartas, notas
30. Recuerda las cosas que te dijo: ______________________	palabras

DOBLAR POR LA RAYA	3.14.18. "QUEISMO"
	INSTRUCCIONES: Sustituya el "que" por una palabra o en su caso, una frase más apropiada.
Para la mujer confiada	Para la mujer que confía ______
Es ahí donde ocurrió.	Es allí que ocurrió ______
Tira la mercancía inservible	Tira la mercancía que no sirva ______
Todo plan ventajoso es bueno.	Todo plan que da ventajas es bueno ______
Será eso por lo que vino	Será por eso que vino ______
Es la vajilla irrompible.	Es la vajilla que no se rompe ______
Un carácter inalterable es positivo.	Un carácter que no se altera es positivo ______
Es así como lo quiero usar	Es así que lo quiero usar ______
Fue entonces cuando lo vi	Fue entonces que lo vi ______
Tiene una alegría contagiosa	Tiene una alegría que contagia ______
Es una lección inolvidable	Es una lección que no se olvida ______
Es un hecho concerniente a la policía.	Es un hecho que concierne a la policía ______
Es persona merecedora de todo respeto.	Es persona que merece todo respeto ______

INSTRUCCIONES: Sustituya los "que" de las siguientes oraciones por palabras más adecuadas.

1. Los que allí se encontraban, que conocían el asunto, expresaron lo que opinaban y lo que sería una solución a los problemas que habían surgido.

2. El muchacho que está sentado en la esquina que da al oeste del salón, es el que nos pareció el más indicado para lo que se proponía el grupo.

3. Les pedimos que nos indiquen qué es lo más adecuado para que nuestros clientes sepan que nos proponemos algo que es muy benéfico para ellos.

3.14.19. HOMOFONOS

INSTRUCCIONES: Cambio de significado por diferencia de letras.

Consultar el diccionario y anotar los significados de cada palabra.

Abocar: ______	Avocar: ______
Acechar: ______	Asechar: ______
Absorber: ______	Absolver: ______
Adolecente: ______	Adolescente: ______
Acerbo: ______	Acervo: ______
Intención: ______	Intensión: ______
Esotérico: ______	Exotérico: ______
Insipiente: ______	Incipiente: ______
Estático: ______	Extático: ______
Baca: ______	Vaca: ______
Sima: ______	Cima: ______
Asesinar: ______	Acecinar: ______
Desecho: ______	Deshecho: ______
Absorción: ______	Adsorción: ______
Herrar: ______	Errar: ______
Aprender: ______	Aprehender: ______
Encauzar: ______	Encausar: ______
Azar: ______	Azahar: ______
Advenimiento: ______	Avenimiento: ______
Infestar: ______	Infectar: ______
Consejo: ______	Concejo: ______
Loza: ______	Losa: ______
Mistificar: ______	Mitificar: ______
Hecho: ______	Echo: ______
Asolar: ______	Azolar: ______
Casa: ______	Caza: ______
Pozo: ______	Poso: ______
Besa: ______	Veza: ______
Grabar: ______	Gravar: ______
Abrazar: ______	Abrasar: ______
Basto: ______	Vasto: ______

Cegar: ______	Segar: ______
Hasta: ______	Asta: ______
Hojear: ______	Ojear: ______
Coser: ______	Cocer: ______
Huso: ______	Uso: ______
Gira: ______	Jira: ______
Barón: ______	Varón: ______
Bello: ______	Vello: ______
Valla: ______	Vaya: ______
Halla: ______	Haya: ______
Rallar: ______	Rayar: ______
Bah: ______	Va: ______

3.14.20. USO APROPIADO DEL VOCABULARIO

INSTRUCCIONES: En la línea de la derecha anotar el significado de cada palabra según el diccionario y elaborar una oración simple con cada término.

amígdala ______________________________

angina ______________________________

especie ______________________________

especia ______________________________

álgido ______________________________

ardiente ______________________________

sendos ______________________________

descomunales ______________________________

carátula ______________________________

portada ______________________________

preocupación ______________________________

interés ______________________________

folleto ______________________________

panfleto ______________________________

onomástico ______________________________

cumpleaños

clasificación

calificación

polizón

polizonte

lívido

pálido

desapercibido

inadvertido

latiente

latente

deleznable

detestable

siguiente

subsiguiente

israelita

israelí

rectificar

ratificar

verificar

deducir

inducir

suplantar

sustituir

aludir

mencionar

refirmar

reafirmar

infligir

infringir

3.14.21. AMPLIFICACION DE PALABRAS Y DE IDEAS

INSTRUCCIONES: El alumno amplificará las siguientes frases de acuerdo al ejemplo que aquí se anota:

Frente a los irreflexivos, que nunca dudan,
están los reflexivos, que nunca actúan.

(Bertold Brecht)

De manera indicativa, la amplificación de palabras puede hacerse en el doble de aquellas de frase original y la amplificación de frases, quintuplicándolas.

Aumento de palabras:

Hay dos tipos antagónicos de personas: los irreflexivos, quienes no se detienen para actuar y los reflexivos a quienes tanto meditar les lleva a la pasividad, dijo Bertold Brecht.

Aumento de ideas:

Bertold Brecht, célebre escritor de obras teatrales y famoso por sus ideas revolucionarias, expresó en uno de sus poemas que existen personas irreflexivas que no se miden para actuar y personas reflexivas, cuyo meditar les impide accionar.

FRASES:

1. *Es proponiéndose lo imposible como el hombre ha logrado siempre lo posible. Aquéllos que se han ceñido prudentemente a lo que les parecía factible, jamás han avanzado un solo paso.*

   (Bakunin)
2. *En manos del Estado la fuerza se llama 'derecho', en manos del individuo se llama 'crimen'.*

   (Stirner)
3. *No ser lo peor que hay es casi estar al nivel de un elogio.*

   (Shakespeare)

FRASE No. 1

Aumento de palabras:

Aumento de ideas:

FRASE No. 2

Aumento de palabras:

Aumento de ideas:

FRASE No. 3

Aumento de palabras:

Aumento de ideas:

3.15. LA COMUNICACION DEL RUMOR

SERIE: TRABAJOS EN EQUIPO

OBJETIVOS: Identificar la necesidad de un mejor sentido de observación.
—Motivar la capacidad de retención.
—Descubrir que el rumor distorsiona la comunicación de una manera radical.
—Descubrir los problemas que trae una comunicación distorsionada.
—Integrar al grupo.

PROCEDIMIENTO: Se demuestra cómo se distorsiona una comunicación original a través de varias versiones sucesivas.
Primera fase: el maestro pide cinco alumnos voluntarios que serán quienes realicen la experiencia, mientras que el resto del grupo permanece como observador.
El maestro pide a cuatro alumnos de los seleccionados que salgan quedándose sólo uno.
El maestro procede a leer un texto que tenga hasta veinte detalles dentro de una extensión de 15 a 20 renglones.
Una vez que el participante ha escuchado la lectura, llama a uno de los que están afuera y le repite lo que ha retenido, así, sucesivamente, hasta el quinto participante quien deberá repetir al grupo la versión.
El grupo analiza las diferentes versiones y saca conclusiones derivadas de la experiencia.
Segunda fase: El maestro lee de nuevo el texto.
Cada alumno redactará su propia versión.

Se leerán algunas escogidas al azar.
El grupo sacará sus conclusiones.

INSTRUMENTOS: —Hojas blancas.
—Texto (véase el anexo).
"En la noche" (fragmento). Ray Bradbury.

La señora Navárrez gemía toda la noche, y los gemidos llenaban la casa de vecindad como una luz encendida en todos los cuartos, de modo que nadie podía dormir. La mujer mordía la almohada, rechinando los dientes, toda la noche, y retorcía las manos delgadas gritando: "Joe querido". A las tres de la madrugada la gente de la casa, abandonando toda esperanza de que la mujer cerrase alguna vez la boca pintada de rojo, se levantó, furiosa y decidida, y se vistió para tomar un ómnibus que los llevase a la parte baja de la ciudad a algún cine nocturno. Allí Roy Rogers perseguía a los hombres malos a través de velos de tabaco rancio y hablaba sobre los suaves ronquidos de la sala oscura. Al alba, la señora Navárrez aún sollozaba y chillaba. Durante el día no era tan terrible. Entonces el coro de los niños que gritaban aquí o allí en la casa añadía un elemento que era casi armónico. Las máquinas de lavar se agitaban entonces ruidosamente en el porche de la casa, y mujeres con vestidos de felpilla, de pie en las empapadas tablas del porche, se trasmitían rápidamente sus murmuraciones mexicanas.

C. ESTILO

A través de una lectura constante de prosa hispanoamericana de buenos autores, de escribir pensando en lo que tenemos que decir, pronto descubriremos que estamos adquiriendo una forma propia de expresión, un *estilo.*

Este estilo es diferente a otros porque el nuestro implica

lecturas y vivencias que sólo nosotros hemos tenido. Por eso se dice que hay muchos estilos y por eso Buffon dijo que *el estilo es el hombre.*

Flaubert se refirió al estilo como la *particular manera que tiene el escritor de ver las cosas.*

Middleton Murry, a su vez, dijo que *estilo es una cualidad del lenguaje que comunica con precisión emociones o pensamientos peculiares del autor.*

Cada escritor y pensador ha dado su definición de estilo; en el fondo coinciden en que es una forma personal de ser, de escribir, un carácter propio, específico, peculiar.

Y aún así, estas formas personales se inscriben dentro de algunas modalidades.

Ejemplos:*

Estilo sencillo

> *Prosa ajustada a la situación, con matices sublimes aquí y allá, que sólo pudo haberlo concebido un ser herido por la brutalidad humana y que, a pesar de ello, perdona.*
>
> (F. J. Yanes)

Estilo florido

> *Tomé tu libro y fue lo único que leí en aquel entonces; no tenía el deseo siquiera de pensar. La fractura no sólo había sido en el cuerpo, sino también en el alma.*
>
> (Carmen de Gómez)

---

* Tomados de las críticas a los libros de Carlota O'Neill en Carlota O'Neill, **Romanzas de las rejas. Prosa poética,** 2a. ed., México, Ed. Costa Amic, 1977, 143 p.

Estilo telegráfico

Hondo, intenso, dramático, este libro sobre la guerra de España.

(R. L.)

Estilo lacónico

No te conozco, pero soy amiga de Victoria y he leído tu libro. Lo encuentro maravilloso; poético, muy sincero y sentido.

(Juana Casulleros)

Estilo concreto

¡Yo nunca había estado en una cárcel así. . . Hasta hoy!

(Nieves Aiguaviva)

Estilo romántico

De lo más profundo de su ser, brotan, como capullos —muertos antes de nacer— los tristes recuerdos de Carlotá O'Neill.

(Lic. Joaquín Cravioto)

Estilo poético

La roca había aplastado todo, Sísifo seguía allí, sin fuerza y sin valor, bajo los escombros. Entonces se elevó la voz. Si es así, el mundo es absurdo; no, no hay nada que esperar de los dioses.

(Abigael Bohórquez)

3.16. DRAMATIZACION

OBJETIVOS: —Identificar sus fallas de expresión oral.

—Descubrir la necesidad de corregir esas fallas.

—Identificar diferentes tipos de lenguaje en una expresión oral.

—Integrar al grupo.

PROCEDIMIENTO: A través de representar ocho personajes tipo, los alumnos hacen una trama improvisada con un problema que el grupo ha seleccionado previamente.

Ocho alumnos serán seleccionados al azar. Se les entregará a cada uno también una tarjeta como las que se anexan.

Las tarjetas describen el comportamiento de ocho personajes con quienes se topa uno en la realidad.

Mientras estudian sus papeles el grupo escogerá un problema sobre el cual habrán de improvisar los ocho compañeros.

Se hará una dramatización de media a una hora.

El grupo sacará las conclusiones.

INSTRUMENTOS: Ocho tarjetas con la descripción de los papeles que tienen que representar.

—Un foro que pueda ser el centro o el frente del salón de clases.

—Si hay tiempo y si hay ingenio, preparar una escenografía sencilla.

RECORTE POR LA LINEA PUNTEADA

HUESPED

Es una persona competente, cordial, apoya las acciones grupales que suenen sensatas.
Le interesa llevar a buen término los problemas.
Su actitud es positiva.

ARMONIZADOR

Tratará de encontrar el equilibrio del grupo en busca de una solución positiva. Es por ello él mismo positivo.

RECORTE POR LA LINEA PUNTEADA

C O N S P I R A D O R

Es negativo.
Su idea: deshacer al grupo.
Echar por tierra todas las iniciativas razonables.
Confundir. Usar el rumor como táctica de ataque contra las demás personas. Inconscientemente todos son enemigos.

P R E S I D E N T E

Su papel es el del dirigente. Siempre actúa, nunca está de. observador.
Es quien lanza las iniciativas y exordios al grupo.
Su postura es negativa.

RECORTE POR LA LINEA PUNTEADA

PAYASO

El payaso es un ser que siempre hace bromas y trata de zaherir con ellas. Su actitud es tomar en broma la vida y nunca ofrecer soluciones concretas para resolver un problema.

MARIPOSA

Siempre hay un individuo de estos en los grupos. Trata de llevar la solución del problema a su manera y muy a la ligera, por esto no es positivo. Se meterá en todo.

RECORTE POR LA LINEA PUNTEADA

FLOR DE ORNATO

Es un individuo pasivo, egoísta.
Si acaso sigue de cerca los incidentes.
No actúa a menos que alguien le incite y, en este caso, seguirá las acciones del grupo sean éstas razonables o no.

SABELOTODO

Ya sabe lo que otra persona va a decir.
No hay que perder el tiempo en escuchar lo que otros tengan que decir.
Quiere imponer sus ideas pensando que él tiene la razón.
Es negativo.

3.1.7. *Festival*

SERIE: TRABAJOS EN EQUIPO

OBJETIVOS: —Identificar fallas de expresión oral.
—Ejercitar la expresión oral.
—Evaluar la expresión oral.
—Integrar al grupo.

PROCEDIMIENTO: Se prepara con 10 o 15 días de anticipación un programa en homenaje a un literato, poeta, hombre célebre que se representará ante el grupo.

El programa puede contener la biografía, la lectura de fragmentos de sus obras, la declamación de sus poesías o la representación muy breve de algún trozo de su obra o de su vida. Unos comerciales con el ingenio estudiantil amenizarán el programa. Puede durar de una a dos horas.

Pueden participar de 5 a 20 alumnos, de acuerdo a las dimensiones del grupo.

—un alumno que represente al autor;
—un maestro de ceremonias;
—tres a cinco personas encargadas de hacer los comerciales:
—dos a seis personas que hagan las representaciones;
—dos a cuatro declamadores.

Se organizarán con anticipación y buscarán la información documental necesaria, así el alumno que represente al autor buscará su biografía y los alumnos que hagan las representaciones leerán y escogerán los trozos apropiados para ello.

El maestro de ceremonias elaborará el programa incluyendo los cortes para comerciales.

También es recomendable que los alumnos monten una escenografía sencilla para que el festival tenga mayor lucimiento.

El maestro hará la evaluación personal anotando en el cuadro anexo la calificación correspondiente: tres para la máxima puntuación, dos para regular, uno para insuficiente y cero para deficiente. Señalará a cada alumno sus fallas.

El grupo hará una evaluación oral de cada uno de los participantes.

INSTRUMENTOS:—representaciones escritas en máquina;
—vestido al ingenio de cada alumno;
—escenografía sencilla.

EVALUACION DEL EJERCICIO DE EXPRESION ORAL

EVALUACION	CONTENIDO (comentario personal)	FORMA	
ALUMNO	VOCABULARIO (Muletillas, frases hechas)	DICCION MIMICA	COMPORTAMIENTO

1. El buen estilo literario posee ciertas CUALIDADES o CARACTERISTICAS de las que se derivan ciertos PRINCIPIOS

CLARIDAD: Se es claro cuando el escrito penetra sin esfuerzo en la mente del lector.

CONCISION: Usemos sólo las palabras indispensables, justas y significativas para expresar lo que se quiere decir. Una frase con 20 palabras tiene el 90% de comprensión en los lectores.

PRECISION: Usemos un lenguaje directo, sin términos ambiguos, ni expresiones confusas o equívocas.

SENCILLEZ: Usemos lenguaje de uso común. La sencillez *no* es la vulgaridad.

NATURALIDAD: Usemos lenguaje y expresiones propias de nuestro acervo personal.

- Elegir una forma coherente al tema y conservarla.
- Todo el escrito debe integrar una unidad.
- Usar la voz activa. Es más directa y vigorosa que la pasiva.

- Usar un lenguaje definido, específico, concreto.
- Omitir palabras innecesarias.
- Evitar las oraciones o frases sueltas, deshilvanadas, monótonas, incoherentes.

- Expresar ideas coordinadas en forma semejante.
- Conservar unidas las palabras interrelacionadas.

- En escritos breves, conservar un solo tiempo del verbo o tiempos semejantes.

- Las palabras enfáticas de una oración van al final.

2. RESUMEN DE REGLAS PRACTICAS DE REDACCION Y ESTILO*

1. Las palabras son utensilios, la herramienta del escritor: Y como en todo oficio o profesión es imprescindible el conocimiento —el manejo— de los utensilios de trabajo, así en el arte de escribir. Nuestra base, pues, es el conocimiento del vocabulario. El empleo de la palabra exacta, propia, y adecuada, es una de las reglas fundamentales del estilo. Como el pintor, por ejemplo, debe conocer los colores, así el escritor ha de conocer los vocablos.

2. Un buen Diccionario no debe faltar nunca en la mesa de trabajo del escritor. Se recomienda el uso de un Diccionario etimológico y de sinónimos.

3. Siempre que sea posible, antes de escribir, hágase un esquema previo, un borrador.

4. Conviene leer asiduamente a los buenos escritores. El estilo, como la música, también se pega. Los grandes maestros de la literatura nos ayudarán eficazmente en la tarea de escribir.

5. "Es preciso escribir con la convicción de que sólo hay dos palabras en el idioma: EL VERBO Y EL SUSTANTIVO. Pongámonos en guardia contra las otras palabras" (Veuillot). Quiere decir esto que no abusemos de las restantes partes de la oración.

6. Conviene evitar los verbos "fáciles" (hacer, poner, decir, etc.), y los "vocablos muletillas" (cosa, especie, algo, etc.).

7. Procúrese que el empleo de los adjetivos sea lo más exacto posible. Sobre todo no abuse de ellos: "si un sustantivo necesita un adjetivo, no lo carguemos con dos" (Azo-

---

* Gonzalo Martín Vivaldi, **Curso de redacción**, Madrid, Ed. Paraninfo.

rin). Evítese, pues, la duplicidad de adjetivos cuando sea innecesaria.

8. No pondere demasiado. Los hechos narrados limpiamente convencen más que los elogios y ponderaciones.

9. Lo que el adjetivo es al sustantivo, es el adverbio al verbo. Por tanto: no abuse tampoco de los adverbios, sobre todo de los terminados en "mente", ni las locuciones adverbiales (en efecto, por otra parte, además, en realidad, en definitiva).

10. Coloque los adverbios cerca del verbo a que se refieren. Resultará así más clara la exposición.

11.—Evítense las preposiciones "en cascada". La acumulación de preposiciones produce mal sonido (asonancias duras) y compromete la elegancia del estilo.

12. No abuse de las conjunciones "parasitarias": "que" "pero", "aunque", "sin embargo", y otras por el estilo que alargan o entorpecen el ritmo de la frase.

13. No abuse de los pronombres. Y, sobre todo, tenga sumo cuidado con el empleo del posesivo "su" —pesadilla de la frase— que es causa de anfibología (doble sentido).

14. No tergiverse los oficios del gerundio. Recuerde siempre su carácter de oración adverbial subordinada (de modo). Y, en la duda. . . sustitúyalo por otra forma verbal.

15. Recuerde siempre el peligro "laísta" y "loísta".

16. Tenga muy en cuenta que "la puntuación es la respiración de la frase". No hay reglas absolutas de puntuación; pero no olvide que una frase mal puntuada no queda nunca clara.

17. No emplee vocablos rebuscados. Entre el vocablo de origen popular y el culto, prefiera siempre aquél. Evítese también el excesivo tecnicismo y aclárese el significado de las voces técnicas, cuando no sean de uso común.

18. Cuidado con los barbarismos y solecismos. En cuanto al neologismo, conviene tener criterio abierto, amplio. No se olvide que el idioma está en continua formación y que

el purismo a ultranza —conservadurismo lingüístico— va en contra del normal desarrollo del idioma. "Remudar vocablos es limpieza" (Quevedo).

19. No olvide que el idioma español tiene preferencia por la voz activa. La pasiva se impone: por ser desconocido el agente activo, porque hay cierto interés en ocultarlo o porque nos es indiferente.

20. No abuse de los incisos y paréntesis. Ajústelos y procure que no sean excesivamente amplios.

21. No abuse de las oraciones de relativo y procure no alejar el pronombre relativo "que" de su antecedente.

22. Evite las ideas y las palabras superfluas. Tache todo lo que no esté relacionado con la idea fundamental de la frase o periodo.

23. Evite las repeticiones excesivas y malsonantes; pero tenga en cuenta que, a veces, es preferible la repetición al sinónimo rebuscado. Repetir es legítimo cuando se quiere fijar la atención sobre una idea y siempre que no suene mal al oído.

24. Si para evitar la repetición, emplea sinónimos, procure que no sean muy raros. Ahorre al lector el trabajo de recurrir al Diccionario.

25. La construcción de la frase española no está sometida a reglas fijas. No obstante, conviene tener en cuenta el orden sintáctico (sujeto, verbo y complemento) y el orden lógico.

26. Como norma general, no envíe nunca el verbo al final de la frase (construcción alemana).

27. El orden lógico exige que las ideas se coloquen según el orden del pensamiento. Destáquese siempre la idea principal.

28. Para la debida cohesión entre las oraciones, procure ligar la idea inicial de una frase a la idea final de la frase anterior.

29. La construcción armoniosa exige evitar las repeti-

ciones malsonantes, la cacofonía (mal sonido), la monotonía (efecto de la pobreza de vocabulario y las asonancias y consonancias.

30. Ni la monótona sucesión de frases cortas ininterrumpidas (el abuso de "punto y seguido"), ni la vaguedad del periodo ampuloso. Conjúguense las frases cortas y largas según lo exija el sentido del párrafo y la musicalidad del periodo.

31. Evítense las transiciones bruscas entre distintos párrafos. Procure "fundir" con habilidad para que no se noten dichas transiciones.

32. Procure mantener un nivel (su nivel). No se eleve demasiado para después caer vertiginosamente. Evite, pues, los "baches".

33. Recuerde siempre que el estilo directo tiene más fuerza —es más gráfico— que el indirecto.

34. No se olvide que el lenguaje es un medio de comunicación y que las cualidades fundamentales del estilo son: la claridad, la concisión, la sencillez, la naturalidad y la originalidad.

35. La originalidad del estilo radica, de modo casi exclusivo, en la sinceridad.

36. Pero no sea superficial, ni excesivamente lacónico, ni plebeyo, ni "tremendista", vicios éstos que se oponen a las virtudes antes enunciadas.

37. Además del estilo, hay que tener en cuenta el tono, que es el estilo adaptado al tema.

38. Huya de las frases hechas y lugares comunes (tópicos). Y no olvide que la metáfora sólo vale cuando añade fuerza expresiva y precisión a lo que se escribe.

39. Huya de la sugestión sonora de las palabras."Cuando se permite el predominio de la sugestión musical empieza la decadencia del estilo" (Middleton Murry). La cualidad esencial de lo bien escrito es la precisión.

40. Piense despacio y podrá escribir de prisa. No tome

la pluma hasta que no vea el tema con toda claridad.

41. Relea siempre lo escrito como si fuera de otro. Y no dude nunca en tachar lo que considere superfluo. Si puede, relea en voz alta: descubrirá así defectos del estilo y tono que escaparon a la lectura exclusivamente visual.

42. Finalmente, que la excesiva autocrítica no esterilice la jugosidad, la espontaneidad, la personalidad, en suma, el propio estilo. Olvide, en lo posible, todas las reglas estudiadas, al escribir. Acuda a ellas sólo en momentos de duda. Recuerde siempre que escribir es pensar y que no debe estreñirse al pensamiento, encerrándolo en la cárcel del leguleyismo gramatical o lingüístico.

3. ESTILO Y ORTOGRAFIA

Un buen estilo tiene mucho que ver con la ortografía.

Hay tres niveles de la corrección en ortografía:

1. Ortografía de la letra, que comprende:
   a. Uso de las mayúsculas.
   b. Uso de las letras dudosas.

2. Ortografía de la palabra, que comprende:
   a. Uso de la tilde o acento.
   b. División silábica.

3. Ortografía de la oración, que comprende:
   a. Los signos de puntuación.
   b. El orden de las palabras (Este punto determina el estilo).

Corrija la ortografía del siguiente párrafo:

y entonces colérikos nos dezposelleron
nos arrevataron lo que abiamos atezorado l-
a palavra que es el arca de la memor-

ia desde aqueyos dias arden y se consumen con el leño de la oguera.

El párrafo debe parecerse a éste:

Y entonces, coléricos, nos desposeyeron, nos arrebataron lo que habíamos atesorado: la palabra, que es el arca de la memoria. Desde aquellos días arden y se consumen con el leño de la hoguera.

(Rosario Castellanos, *Balún Canán)*

Podemos destrozar la ortografía, pero a costa del grave riesgo de que nadie nos entienda. De asfixiar al lector en párrafos interminables, sin respiración. De crear una incertidumbre semántica en ese lector que se merece nuestro respeto, porque gasta su vida en leernos.

3.18. SOCIOGRAMA

SERIE: TRABAJOS EN EQUIPO

OBJETIVOS: —Ejercitar la expresión oral
—Integrar al grupo
—Ejercitar su imaginación creativa.

PROCEDIMIENTO: Se prepara con un mínimo de dos días de anticipación. Se integran equipos de 5 a 10 personas

según las dimensiones del grupo. Cada equipo selecciona un problema social que representará: desintegración familiar, alcoholismo, drogadicción, etc. Se repartirán los papeles que a cada uno le toca representar bajo un argumento general.
La base del ejercicio es la improvisación, dejar que fluyan los sentimientos y pensamientos de cada personaje representado.
La representación puede durar de 20 a 40 minutos por equipo.

INSTRUMENTOS: —Vestido según ingenio de cada alumno
—escenografía sencilla.

IV. Formas de expresión

Las *formas de expresión* más conocidas como *formas del discurso son:*

<table>
<tr><td>I. Descripción</td><td rowspan="3">Formas no expositivas</td></tr>
<tr><td>II. Narración</td></tr>
<tr><td>III. Argumentación</td></tr>
<tr><td>IV. Exposición</td><td></td></tr>
</table>

Nunca aparecen solas sino formando múltiples combinaciones:

narración	argumentativa,
narración	descriptiva,
narración	expositiva,
exposición	narrativa,
exposición	argumentativa,
exposición	descriptiva,
descripción	narrativa,
descripción	expositiva,
descripción	argumentativa,
argumentación	descriptiva,
argumentación	narrativa,
argumentación	expositiva.

Las composiciones no expositivas utilizan las *Técnicas de recurso emocional:*

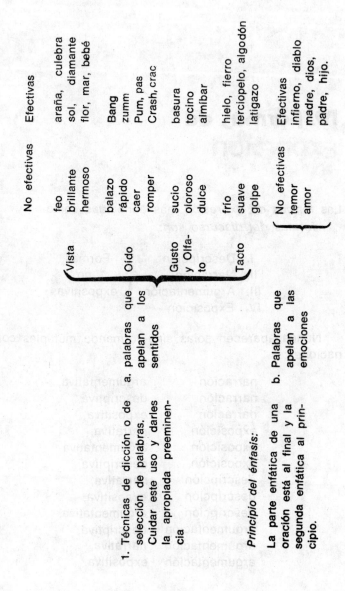

			No efectivas	Efectivas
1. Técnicas de dicción o de selección de palabras. Cuidar este uso y darles la apropiada preeminencia	a. palabras que apelan a los sentidos	Vista	feo brillante hermoso	araña, culebra sol, diamante flor, mar, bebé
		Oído	balazo rápido caer romper	Bang zumm Pum, pas Crash, crac
		Gusto y Olfato	sucio oloroso dulce	basura tocino almíbar
		Tacto	frío suave golpe	hielo, fierro terciopelo, algodón latigazo
Principio del énfasis: La parte enfática de una oración está al final y la segunda enfática al principio.	b. Palabras que apelan a las emociones		No efectivas temor amor	Efectivas infierno, diablo madre, dios, padre, hijo.

2. Técnicas de organización

No admitir elementos discordantes, el efecto debe ser una impresión unificada.

a. Mantener el ritmo

Detalles: medios por los cuales se desarrolla el ritmo.

b. Progresión o efecto cumulativo

Cada parte del todo es una progresión y en la impresión total cada parte tan efectiva como la precedente o más.
Discursos de Churchill, Fidel Castro

Y el *Principio de la implicación*, Ejem.:

dicen lo mismo:

—"Cuento fascinante, interesante, de encanto irresistible"

pero, es más efectivo:

—"Cuento del que cuelgan niños de la pared y ancianos en la esquina de la chimenea".

Otros ejemplos:

"Aquél que esté sin pecado que arroje la primera piedra"
"Hay cisnes que cruzan el pantano y no se manchan, mi plumaje es de esos"

RAZONES
- Tiene profundas raíces psicológicas
- Estimula al lector a ser mentalmente activo
- Le da un sentimiento de participación
- La experiencia siempre viene en implicaciones, cuando más es un torrente de sensaciones que son interpretadas por nosotros mismos.

A. La descripción

- Forma del discurso o de expresión.
- Propósito central: evocar la impresión producida por objetos, seres y paisajes, explicando sus diversas partes, cualidades o circunstancias.

Clases:

1. Descripción técnica: da información. Esencialmente expositiva.
2. Descripción propiamente dicha. Evoca la impresión de un lugar, escena o persona.
   Se caracteriza por lo dicho en las técnicas del recurso emocional.

Tipos:

a. Topografía (descripción de lugar).
b. Cronografía (descripción de época).
c. Prosopografía (descripción física de una persona).
d. Etopeya (descripción moral de una persona).
e. Retrato (descripción física y moral de una persona).

PROCEDIMIENTO

- Para describir bien, hay que observar bien.
- Utilizar los recursos emocionales.
- Seleccionar el punto de vista apropiado; esto es relevante, en especial cuando hay muchos puntos de vista, por ejemplo, en un estadio.
- De preferencia el escritor no debe aparecer, puede escribir en impersonal.

- Tomar en cuenta los principios de la organización descriptiva:
  —patrón espacial: distribución coherente de izquierda a derecha, de arriba hacia abajo, cerca y lejos, enfrente y detrás. Movimiento consistente.
  —patrón analítico: Desglosar en partes después de un proceso de deliberación. Propio para descripción de personas.Se escogen dos o cuatro rasgos distintivos de la persona y se desarrollan jerárquicamente.
- Usar los detalles concretos:
  Describir a través de los detalles concretos, evitar las descripciones con adjetivos que no dicen nada

B. La narración

- Forma del discurso o de expresión.
- Propósito central: contar una historia concerniente en tiempo y acción.

Tipos:

1. Experiencia personal: todos tenemos material; sólo atender al juicio y al cuidado.
   Seleccionar una experiencia que haya tenido un significado particular en la vida.
2. Narrativa de ficción: ejercita la imaginación creativa en toda intensidad.

PROCEDIMIENTO

a. Selección de material: Cuando es una experiencia reciente tenemos mucho material. Hay que cuidar de suprimir las cosas superfluas o inapropiadas. Escoger una idea central y las demás girarán en torno de ella.

b. Disposición del mismo: Ordinariamente el patrón básico es cronológico. Este orden se puede alterar según el efecto o propósito que el autor quiera dar a su trabajo.

Para la narrativa de ficción además de tomar en cuenta los aspectos anteriores debemos atender a:

1. Marco de referencia, o sea tiempo y lugar donde ocurre la acción.
2. Caracteres o sean los personajes que conocemos o inventamos.
3. Tiempo que durará la descripción y narración de cada escena.
4. Profundidad o detalles con que serán tratados los temas.

TEMA: DESCRIPCION

*EL BOSQUE CHILENO**

. . .Bajo los volcanes, junto a los ventisqueros, entre los grandes lagos, el fragante, el silencioso, el enmarañado bosque chileno. . . Se hunden los pies en el follaje muerto, crepitó una rama quebradiza, los gigantescos raulíes levantan su encrespada estatura, un pájaro de la selva fría cruza, aletea, se detiene entre los sombríos ramajes. Y luego desde su escondite suena como un oboe. . . Me entra por las narices hasta el alma el aroma salvaje del laurel, el aroma oscuro del boldo. . . El ciprés de las guaitecas intercepta mi paso. . . Es un mundo vertical: una nación de pájaros, una muchedumbre de hojas. . . Tropiezo en una piedra, escarbo la cavidad descubierta, una inmen-

* **Pablo Neruda, Confieso que he vivido. Memorias,** pp. 13-14.

sa araña de cabellera roja me mira con ojos fijos, inmóvil, grande como un cangrejo. . . Un cárabo dorado me lanza su emanación mefítica, mientras desaparece como un relámpago su radiante arco iris. . . Al pasar cruzo un bosque de helechos mucho más alto que mi persona: se me dejan caer en la cara sesenta lágrimas desde sus verdes ojos fríos, y detrás de mí quedan por mucho tiempo temblando sus abanicos. . . Un tronco podrido: ¡qué tesoro! . . . Hongos negros y azules le han dado orejas, rojas plantas parásitas lo han colmado de rubíes, otras plantas perezosas le han prestado sus barbas y brota, veloz, una culebra desde sus entrañas podridas, como una emanación, como que al tronco muerto se le escapara el alma. . . Más lejos cada árbol se separó de sus semejantes. . . Se yerguen sobre la alfombra de la selva secreta, y cada uno de los follajes, lineal, encrespado, ramoso, lanceolado, tiene un estilo diferente, como cortado por una tijera de movimientos infinitos. . . Una barranca; abajo el agua transparente se desliza sobre el granito y el jaspe. . . Vuela una mariposa pura como un limón, danzando entre el agua y la luz. . . A mi lado me saludan con sus cabecitas amarillas las infinitas calceolarias. . . En la altura, como gotas arteriales de la selva mágica se cimbran los copihues rojos *(Lapageria Rosea)*. . . El copihue rojo es la flor de la sangre, el copihue blanco es la flor de la nieve. . . En un temblor de hojas atravesó el silencio la velocidad de un zorro, pero el silencio es la ley de estos follajes. . . Apenas el grito lejano de un animal confuso. . . La intersección penetrante de un pájaro escondido. . . El universo vegetal susurra apenas hasta que una tempestad ponga en acción toda la música terrestre.

Quien no conoce el bosque chileno, no conoce este planeta.

De aquellas tierras, de aquel barro, de aquel silencio he salido yo a andar, a cantar por el mundo.

4.1. ANIMAGRAFIA

SERIE: FORMAS DE EXPRESION

OBJETIVOS: —Descubrir un sentimiento o estado de ánimo.
—Aplicar las técnicas de la descripción.

PROCEDIMIENTO: Seleccionar un sentimiento o un estado de ánimo, describir las sensaciones que produce. La extensión puede ir de unas líneas a media cuartilla.

Ejemplo: "Aburrimiento: ver reloj y darse cuenta de que es la misma hora que hace media hora".

(Abel Quezada).

INSTRUMENTOS NECESARIOS: Hojas blancas.

4.2. RETRATO

(Etopeya y Prosopografía)

SERIE: FORMAS DE EXPRESION

OBJETIVOS: —Descubrir las características físicas y morales de una persona.
—Aplicar las técnicas de la descripción.

PROCEDIMIENTO: Antes de redactar es necesario hacer un análisis mental de la persona motivo de nuestra descripción. Sacaremos de ella las partes o elementos que nos interesa destacar —nunca debemos pretender una descripción exhaustiva que no lograremos—, después jerarquizamos las partes escogidas de acuerdo a nuestro criterio y procederemos a redactar la composición en una a tres cuartillas.

INSTRUMENTOS NECESARIOS: —Hojas blancas.

4.3. TOPOGRAFIA

SERIE: FORMAS DE EXPRESION

OBJETIVOS: —Describir un paisaje o lugar.
—Aplicar las técnicas de la descripción.

PROCEDIMIENTO: Seleccionar un paisaje o lugar. Describirlo en cualquiera de estos órdenes: izquierda a derecha, derecha a izquierda, arriba a abajo, abajo a arriba, del centro hacia afuera, de afuera hacia el centro. Procurar que la descripción esté completa. Usar de una y media a tres cuartillas.

INSTRUMENTOS NECESARIOS: —Hojas blancas.

4.4. COMPOSICION "DADÁ"

SERIE: TRABAJOS EN EQUIPO

OBJETIVOS: —Ejercitar la imaginación creativa.
—Ejercitar la lógica.
—Elaborar una composición en equipo.
—Integrar al grupo.

PROCEDIMIENTO: Se forman equipos de 5 personas cada uno, de acuerdo a las dimensiones del grupo. Usando un grupo de encabezados de periódicos, entre todos integrarán una composición lo más lógica y coherente posible.

INSTRUMENTOS: —Un cartoncillo por cada equipo o bien hojas blancas.
—Encabezados de periódicos, mínimo 20 para cada equipo.
—Tijeras.
—Pegamento.

4.5. LECTURAS

Los siguientes textos muestran la mezcla de la narración y la descripción.

No sólo de mujeres teníamos inundada la cárcel. Las moscas ocupaban su lugar, entre nosotras, con sus hermanos los piojos. Unas y otros nos chupaban constantes, en turnos bien distribuidos. Las moscas formaban enjambres volantes. Llegaban de unas cochiqueras que había en el campo, cerca de la cárcel. La cárcel era también una cochiquera. Por la noche seguían pasando moscas y mujeres; teníamos la luz encendida y las que estaban arranadas en el pasillo habían de levantarse cuando abrían la puerta para que pasara otra; la puerta se abría cada cuarto de hora. Y comenzaron a llegar prostitutas; nos acompañaron hasta el fin. Entraron enracimadas y es que descubrieron la manera de fastidiarse. Se denunciaban las unas a las otras como espías y rojas; su permanencia allí no era larga; dos o tres semanas y sus clientes las devolvían a la libertad. Eramos miles de mujeres. No sabíamos los nombres ni nos importaban. Tampoco nos fijábamos en las cataduras. Aquella cabrera, oliendo a cabra con el pelo como pasta mugrosa recorrido de piojos, toda ella un harapo se acostó a mi lado, en el jergón, y su peste me echó de allí. Nos atacó la disentería y como el pozo negro se atrancó, la porquería estaba por el suelo. Había olor de tugurio, de asfixia y muerte lenta. Llegó el tifus; la sarna, y tuvieron que llevarse a algunas al hospital de la Cruz Roja, porque la cárcel no tenía enfermería. En el hospital morían. Sólo mujeres hechas de acusados trazos se destacaban entre todas. Consuelo se hizo notar en cuanto llegó. Fue cantinera del tercio en tierras africanas; muy adicta al general Millán Astray. Cuando abría su boca como belfo, se echaba de ver que era gallega. Tenía una parla oscura, con recovecos dulces. La detuvieron porque en el mercado habló con una comadre, dijo algo sobre los "crímenes de los canallas falangistas". Las orejas que escuchaban la asieron de la falda sin oír lo que salía de aquella boca de cantinera. Los llamaba ca. . . , hijos de tales, se. . . en su madre, y dio con sus huesos en los calabozos, donde estuvo noches y días rascándose las mataduras y golpes que le dieron. Pero no la mataron; hablaba demasiado del general Millán Astray a quien decía haber salvado de la muerte al caer herido. Era fea la Gallega; de una fealdad agresiva que se hacía notar al primer momento. Delgada, muy pálida, el vientre hinchado como mujer preñada; pero no era vida lo que guardaba; era un fibroma que la iba comiendo, deshaciendo en una hemorragia constante. Los ojillos oscuros y saltones, las cejas gordas como de carbón se unían en el entrecejo. Y aquella boca era belfo; labios gordos y cortos; tan cortos que no podía cerrarlos; los mantenía abiertos, dormida y despierta, y allá dentro se veía el relumbrar de los dientes de oro; las mejillas angulosas, con manchas y pecas negras; en la barbilla un largo lunar de pelo, que conservaba como preciado don. El cabello rizado largo, fonje, era su único signo de belleza. La compañera de diálogo de la Gallega en el mercado, llevaron allí con ella, era una honrada madre de familia, esposa de un obrero, con diez hijos pequeños que dejó solos en la casa.

Maruja dormía junto a mi camastro hasta que se la llevaron al hospital. Tenía diecisiete años; muy bella y muy bestia con su gracia en su cuerpo y la movilidad del animal joven. Con la turgencia suave del melocotón que invitaba a pasarle la mano, a morderla. Su madre la denunció por "roja". Su madre y su padre fueron al cuartel de Falange para que detuvieran a la hija y le dieran "el escarmiento"; cuando la República se hizo la Casa del Pueblo, era criada de servicio, y "las malas compañías" la llevaron a aquella "casa". Entró temblando. El miedo se la comía. Un miedo insuperable. Los falangistas la "respetaron", porque sus padres lo eran también. Y la dejaron también. Y la dejaron en la cárcel. Me tocó su compañía. Estaba tuberculosa.

Carlota O'Neill, *Una mexicana en la guerra de España*, pp. 63-64.

II

Dejó caer la cortina y caminó hacia el baño de azulejos moriscos. Miró en el espejo ese rostro hinchado por un sueño que, sin embargo, era tan breve, tan distinto. Cerró la puerta con suavidad. Abrió los grifos y taponeó el lavabo. Arrojó la camisa del pijama sobre la tapa del excusado. Escogió una hoja nueva, la despojó de su envoltura de papel ceroso y la colocó en el rastrillo dorado. Luego dejó caer la navaja en el agua caliente, humedeció una toalla y se cubrió el rostro con ella. El vapor empañó el cristal. Lo limpió con una mano y encendió el cilindro de luz neón colocado sobre el espejo. Exprimió el tubo de un nuevo producto norteamericano, la crema de afeitar de aplicación directa; embarró la sustancia blanca y refrescante sobre las mejillas, el mentón y el cuello. Se quemó los dedos al sacar la navaja del agua. Hizo un gesto de molestia y con la mano izquierda extendió una mejilla y comenzó a afeitarse, de arriba abajo, con esmero, torciendo la boca. El vapor lo hacía sudar, sentía correr las gotas por las costillas. Ahora se descañonaba lentamente y después se acariciaba el mentón para asegurarse de la suavidad. Volvió a abrir los grifos, a empapar la toalla, a cubrirse la cara con ella. Se limpió las orejas y se roció el rostro con una loción excitante que le hizo exhalar con placer. Limpió la hoja y volvió a colocarla en el rastrillo, y éste en su estuche de cuero. Tiró del tapón y contempló, por un instante, la succión del charco gris de jabón y vello emplastado. Observó las facciones: quiso descubrir al mismo de siempre, porque al limpiar de nuevo el vaho que empañó el cristal, sintió sin saberlo —en esa hora temprana, de quehaceres insignificantes pero indispensables, de malestares y hambres indefinidas, de olores indeseados que rodeaban la vida inconsciente del sueño que había pasado mucho tiempo sin que, mirándose todos los días al espejo de un baño, se viera. Rectángulo de azogue y vidrio y único retrato verídico de este rostro de ojos verdes y boca enérgica, frente ancha y pómulos salientes. Abrió la boca y sacó la lengua raspada de islotes blancos; luego buscó en el reflejo los huecos de los dientes perdidos. Abrió el botiquín y tomó los puentes que dormían en el fondo de un vaso de agua. Lo enjuagó rápidamente y, dando la espalda al espejo, se los colocó. Embarró la pasta verdosa sobre el cepillo y se limpió los dientes. Hizo gárgaras y se desprendió del pantalón del pijama. Abrió los grifos de la regadera. Tomó la temperatura con la palma de la mano y sintió el chorro desigual sobre la nuca, mientras pasaba el jabón sobre el cuerpo magro, de costillas salientes, el estómago flácido y los músculos que conservaban cierta tirantez nerviosa, pero que ahora tendían a colgarse hacia adentro, de una manera que le parecía grotesco, si él mantenía una vigilancia enérgica y postiza. . . y sólo cuando era observado, como estos días, por esas miradas impertinentes del hotel y la playa. Dio la cara a la regadera, cerró los grifos y se frotó con la toalla. Volvió a sentirse contento cuando se fregó el pecho y las axilas con el agua de lavanda y pasó el peine sobre la cabellera crespa. Tomó del closet el calzón de baño azul y la camisa blanca de polo. Calzó las zapatillas italianas de lona y cuerda y abrió con lentitud la puerta del baño.

Carlos Fuentes. *La muerte de Artemio Cruz.* España. Ed. Salvat, 1971. pp. 101-102.

III

LOS DESESPERADOS RECURSOS DE UN HAMBRIENTO

Si uno se acuesta en una plaza con la esperanza de capturar una gaviota, puede estarse allí toda la vida sin lograrlo. Pero a cien millas de la costa es distinto. Las gaviotas tienen afinado el instinto de conservación en tierra firme. En el mar son animales desconfiados.

Yo estaba tan inmóvil que probablemente aquella gaviota pequeña y juguetona que se posó en mi muslo, creyó que estaba muerto. Yo la estaba viendo en mi muslo. Me picoteaba el pantalón, pero no me hacía daño. Seguí deslizando la mano. Bruscamente, en el instante preciso en que la gaviota se dio cuenta del peligro y trató de levantar el vuelo, la agarré por una ala, salté al interior de la balsa y me dispuse a devorarla.

Cuando esperaba que se posara en mi muslo, estaba seguro de que si llegaba a capturarla me la comería viva, sin quitarle las plumas. Estaba hambriento y la misma idea de la sangre del animal me exaltaba la sed. Pero cuando ya la tuve entre las manos, cuando sentí la palpitación de su cuerpo caliente, cuando vi sus redondos y brillantes ojos pardos, tuve un momento de vacilación.

Cierta vez estaba yo en cubierta con una carabina, tratando de cazar una de las gaviotas que seguían el barco. El jefe de armas del destructor, un marinero experimentado, me dijo: "—No seas infame. La gaviota para el marino es como ver tierra. No es digno de un marino matar una gaviota." Yo me acordaba de aquel momento, de las palabras del jefe de armas, cuando estaba en la balsa con la gaviota capturada, dispuesto a darle muerte y devorarla. A pesar de que llevaba cinco días sin comer, las palabras del jefe de armas resonaban en mis oídos, como si las estuviera oyendo. Pero en aquel momento el hambre era más fuerte que todo. Le agarré fuertemente la cabeza al animal y empecé a torcerle el pescuezo, como a una gallina.

Era demasiado frágil. A la primera vuelta sentí que se le destrozaron los huesos del cuello. A la segunda vuelta sentí su sangre, viva y caliente, corriéndome por entre los dedos. Tuve lástima. Aquello parecía un asesinato. La cabeza, aún palpitante, se desprendió del cuerpo y quedó latiendo en mi mano.

El chorro de sangre en la balsa soliviantó a los peces. La blanca y brillante panza de un tiburón, enloquecido por el olor de la sangre, puede cortar de un mordisco una lámina de acero. Como sus mandíbulas están colocadas debajo del cuerpo, tiene que voltearse para comer. Pero como es miope y voraz, cuando se voltea panza arriba arrastra todo lo que encuentra a su paso. Tengo la impresión de que en ese momento el tiburón trató de embestir la balsa. Aterrorizado, eché la cabeza de la gaviota y vi, a pocos centímetros de la barda la tremenda rebatiña de aquellos animales enormes que se disputaban una cabeza de gaviota, más pequeña que un huevo.

Lo primero que traté de hacer fue desplumarla. Era excesivamente liviana y los huesos tan frágiles que podían despedazarse con los dedos. Trataba de arrancarle las plumas, pero estaban adheridas a la piel, delicada y blanca, de tal modo que la carne se desprendía con las plumas ensangrentadas. La sustancia negra y viscosa en los dedos me produjo una sensación de repugnancia.

Es fácil decir que después de cinco días de hambre uno es capaz de comer cualquier cosa. Pero por muy hambriento que uno esté, siente asco de un revoltijo de plumas y sangre caliente, con un intenso olor a pescado crudo y a sarna.

Al principio, traté de desplumarla cuidadosamente, con cierto método. Pero no contaba con la fragilidad de su piel. Quitándole las plumas empezó a deshacerse entre las manos. La lavé dentro de la balsa. La despresé de un solo tirón y la presencia de sus rosados intestinos, de sus vísceras azules, me revolvió el estómago. Me llevé a la boca un hilazo de muslo, pero no puede tragarlo. Era simple. Me pareció que estaba masticando una rana. Sin poder disimular la repugnancia, arrojé el pedazo que tenía en la boca y permanecí un largo rato inmóvil, con aquel repugnante amasijo de plumas y huesos sangrientos en la mano.

Lo primero que se me ocurrió fue que aquello que no podía comerse me serviría de carnada. Pero no tenía ningún elemento de pesca. Si al menos hubiera tenido un alfiler. Un pedazo de alambre. Pero no tenía nada distinto de las llaves, el reloj, el anillo y las tres tarjetas del almacén de Mobile.

Pensé en el cinturón. Pensé que podía improvisar un anzuelo con la hebilla. Pero mis esfuerzos fueron inútiles. Era imposible improvisar un anzuelo con cinturón. Estaba anocheciendo y los peces, enloquecidos por el olor de la sangre, daban saltos en torno a la balsa. Cuando oscureció por completo arrojé al agua los restos de la gaviota y me acosté a morir. Mientras preparaba el remo para acostarme oía la sorda guerra de los animales disputándose los huesos que no me había podido comer.

Creo que esa noche hubiera muerto de agotamiento y desesperación. Un viento se levantó desde las primeras horas. La balsa daba tumbos, mientras yo, sin pensar siquiera en la precaución de amarrarme a los cabos, yacía, exhausto dentro del agua, apenas los pies y la cabeza fuera de ella.

Pero después de media noche hubo un cambio: salió la luna. Desde el día del accidente fue la primera noche. Bajo la claridad azul, la superficie del mar recobra un aspecto espectral. Esa noche no vino Jaime Manjarrés. Estuve solo, desesperado, abandonado a mi suerte en el fondo de la balsa.

Sin embargo, cada vez que se me derrumbaba el ánimo, ocurría algo que me hacía renacer mi esperanza. Esa noche fue el reflejo de la luna en las olas. El mar estaba picado y en cada ola me parecía ver la luz de un barco. Hacía dos noches que había perdido las esperanzas de que me rescatara un barco. Sin embargo, a todo lo largo de aquella noche transparentada por la luz de la luna —mi sexta noche en el mar— estuve escrutando el horizonte desesperadamente, casi con tanta intensidad y tanta fe como en la primera. Si ahora me encontrara en las mismas circunstancias me moriría de desesperación; ahora sé que la ruta por donde navegaba la balsa no es ruta de ningún barco.

Gabriel García Márquez, *Relato de un náufrago*. pp. 46-48.

SILUETA DEL INDIO JESUS*

Por Alfonso Reyes.

I V

Vino el día en que el indio Jesús, a quien yo encontré en no sé qué pueblo, se me presentara en México muy bien peinado, con camisa nueva y con un sombrero de lucientes galones, a la puerta de mi casa. Sólo el pantalón habido a última hora en sustitución del característico calzón blanco, para que le dejaran circular por la ciudad los gendarmes, desdecía un poco de su indumento. Había resuelto venir a servir a la capital —me dijo— y dejar la vida de holganza. No contaba el tiempo para Jesús. Recomenzaba su existencia después de medio siglo con la misma agilidad y flexibilidad de un muchacho.

—¿Pero tú qué sabes hacer, Jesús?

Jesús no quiso contestarme. Presentía vagamente que lo podía hacer todo. Y yo, por instinto, lo declaré jardinero, y como tal le busqué acomodo en casa de mi hermano.

Aquel vagabundo mostró, para el cuidado de las plantas, un acierto casi increíble. Era capaz de hacer brotar flores bajo su mirada, como un fakir. Desterró las plagas que habían caído sobre los tiestos de mi cuñada. Todo lo escarbó, arrancó y volvió a plantar. Las enredaderas subieron con ímpetu hasta las últimas ventanas. En la fuente hizo flotar unas misteriosas flores acuáticas. De vez en vez salía al campo y volvía cargado de semillas. Cuando él trabajaba en el jardín, había que emboscarse para verlo; de otro modo, suspendía la obra, y decía: "que ansina no podía trabajar", y se ponía a rascarse la greña con un mohín verdaderamente infantil.

---

* Alfonso Reyes, **Vida y ficción**, México, Fondo de Cultura Económica, 1975 (Letras Mexicanas).

Y las bugambilias extendían por los muros sus mantos morados, las magnolias exhalaban su inesperado olor de limón; las delicadas begonias rosas y azules prosperaban entre la sombra, desplegando sus alas; los rosales balanceaban sus coronas; las mosquetas derramaban aroma de sus copitas blancas; las amapolas, los heliotropos, los pensamientos y nomeolvides reventaban por todas partes. Y la cabeza del viejo aparecía a veces, plácida, coronada de guías vegetales como en las fiestas del Viernes de Dolores que celebran los indios en las canoas y chalupas del Canal de la Viga.

¡Qué bien armonizan con la flor la sonrisa y el sollozo del indio! ¡Qué hechas, sus manos, para cultivar y acariciar flores! De una vez Jesús, como su remoto abuelo Juan Diego, dejaba caer de la tilma —cualquier día del año— un paraíso de corolas y hojas. Parecían creadas por su deseo: un deseo emancipado ya de la carne transitoria, y vuelto a la sustancia fundamental, que es la tierra.

Jesús sabía deletrear y, con sorprendente facilidad, acabó por aprender a leer. El esfuerzo lo encaneció poco a poco. Comenzó a contaminarse con el aire de la ciudad. La inquietud reinante se fue apoderando de su alma. El, que conocía los errores del régimen, no tuvo que esforzarse mucho para comprender las doctrinas revolucionarias, elementalmente interpretadas según su hambre y su frío. A veces llegaba tarde al jardín, con su clásico paso de danzante, sobre aquellas piernas de resorte hechas para el combate y el salto, aunque algo secas ya por la edad.

Es que Jesús se había afiliado en el partido de la revolución y asistía a no sé qué sesiones. Yo vi brillar en su cara un fuego extraño. Comenzó a usar de reticencias. No nos veía con buenos ojos. Eramos para él familia de privilegiados, contaminada de los pecados del poder. A él no se le embaucaba, no. Harto sabía él que no estábamos de acuerdo con los otros poderosos, con los malos; pero como fuere, él sólo creía en los nuevos, en los que habían de venir. A mí, sin embargo, "me tenía ley", como él decía, y estoy seguro de que se hubiera dejado matar por mí. Esto no tenía que ver con la idea política.

Una tarde, Jesús depuso la azada, se quitó el sombrero, estaba muy cansado, y luego dejó escapar unas lágrimas furtivas. Comprendí que quería hablarme. Siempre, en él, las lágrimas anunciaban las palabras. Había una deliciosa dulzura en sus discursos, una quejumbre incierta, una ansia casi amorosa de llanto. Era como si pidiera a la vida más blanduras. Hubiera sido capaz de reñir y matar sin odio: por obediencia, o por azar. Porque el indio mexicano se roza mucho con la muerte. Caricia, ternura había en sus ojos cierto día que tuvo un encuentro con un carretero. Este acarreaba piedras para embaldosar el corral del fondo. Yo los sorprendí en el momento en que Jesús asió el sombrero como una rodela, dio hacia atrás un salto de gallo, y al mismo tiempo sacó de la cintura un cuchillo —el inseparable "belduque"— con una elegancia de saltarín de teatro. Yo le oí decir, con una voz fruiciosa y cálida:

—¡Ora sí, vamos a morirnos los dos!

Costó algún trabajo reconciliarlos. Pero hubo que alejar de allí al carretero. Todos adivinamos que aquellos dos hombres, cada vez que se encontraran de nuevo, caerían en la tentación de hacerse el mutuo servicio de matarse.

Aquella melosidad lacrimosa que hacía de Jesús uno como bufón errabundo, frecuentemente lo traicionaba. Iba más lejos que él en sus intentos; disgustaba a la gente con sus apariencias de cortesía servil; daba a sus frases más palabras que las que hacían falta, cargándolas de expresiones ociosas, como los colorines y adornos. Indio retórico, casta de los que encontró en la Nueva España el médico andaluz Juan Cárdenas, mediados del siglo XIV. Indio almibarado y, a la vez, temible.

Pero no era esto todo lo que yo quería contar, sino que

Jesús se puso de pronto un tanto solemne y me pidió un obsequio:

—Quiero —me dijo— que, si no le hace malobra, me regale el niño una Carta Magna.

—¿Una Carta Magna, Jesús? ¿Un ejemplar de la Constitución? ¿Y tú para qué lo quieres?

—Pa' conocer los Derechos del Hombre. Yo creo en la libertad, no agraviando lo presente, niño.

Entretanto, comenzaba a descuidar el jardín y algunos rosales se habían secado.

Jesús volvió al campo un día, donde no permaneció más de un mes. ¿Qué pasó por Jesús? ¿Qué sombra fue esa que el campo nos devolvió al poco tiempo, que débil trasunto de Jesús? Todo el vigor de Jesús parecía haberse sumido como agua en el suelo árido. Ya casi no hablaba, no se movía. El viejo no hacía caso ya de las flores ni de la política. Dijo que quería irse al cerro. Le pregunté si ya no quería luchar por la libertad. No, me dijo que sólo había venido a regalarme unos pollos; que ahora iba a vender pollos. Inútilmente quise irritar su curiosidad con algunas noticias alarmantes: la revolución había comenzado; ya se iban a cumplir, fielmente, los preceptos de la Carta Magna. No me hizo caso.

—Ora voy a vender pollos.

—Pero ¿no te cansas de ir y venir por esos caminos, trotando con el huacal a la espalda?

—¡Ah, qué niño! ¡Si estoy retejuerte!

Y cuando salió a la calle lo vi sentarse en la acera, junto a su huacal, y me pareció que movía los labios. ¿Estará rezando?, pensé. No: Jesús hablaba, y no a solas: hablaba con una india, también vendedora de pollos, que estaba sentada frente a él, en la acera opuesta. Los indios tienen un oído finísimo. Charlan en voz baja y dialogan así, en su lengua, largamente, por sobre el bullicio de la ciudad. La india, flaca y mezquina, tenía la misma cara atónita de Jesús.

Estos indios venían a la ciudad —estoy convencido— más que a vender pollos, a sentirse sumergidos en el misterio de una civilización que no alcanzan; a anonadarse, a aturdirse; a buscar un éxtasis de exotismo y pasmo.

Nunca entenderé cómo fue que Jesús, a punto ya de convertirse en animal consciente y político, se derrumbó otra vez por la escala antropológica, y prefirió sentarse en la calle de la vida, a verla pasar sin entenderla.

4.6. POESIA COLECTIVA *

SERIE: TRABAJO EN EQUIPO

OBJETIVOS: —Desarrollar su imaginación creativa.
—Redactar un verso que se integrará a una poesía colectiva.
—Integrar al grupo.

PROCEDIMIENTO: Se integrarán equipos de cinco a catorce personas (de una rima a un soneto), según las dimensiones del grupo, el primero escribirá una línea o verso que se le ocurra; el segundo escribirá una línea o verso que complemente la primera y así sucesivamente. Se procurará, en la medida de lo posible, que la composición tenga rima o ritmo para lograr la creación poética.

INSTRUMENTOS:
—Hojas blancas.

* Sugerido por el profesor Mauricio Pichardo Iñigo.

4.7. ¡RECONSTRUYAMOS A TOLSTOI!

SERIE: FORMAS DE EXPRESION

OBJETIVOS: —Descubrir la capacidad de retentiva.
—Redactar de nuevo el cuento de Tolstoi.
—Comparar el cuento escrito con el original.

PROCEDIMIENTO: Reconstruir el siguiente cuento de Tolstoi después de haberlo leído (2 veces).
No debe volver a consultarse.
Apuntar en la parte superior derecha el número de palabras empleadas en la reconstrucción.

INSTRUMENTOS: —Cuento de Tolstoi.
—Hojas blancas.

Cfr. Gramática Castellana de Amado Alonso y Pedro Henríquez Ureña, 19a. ed., Buenos Aires, Ed. Losada, 1961, 232 p.; pp. 29-30.

Cuento

EL MUJIK Y EL ESPIRITU DE LAS AGUAS

A un Mujik se le cayó su hacha en un río, y apenado se puso a llorar.

El Espíritu de las aguas se compadeció de él y presentándole un hacha de oro le preguntó:

— ¿Es ésta tu hacha?
El Mujik respondió:
— No, no es la mía.

El espíritu de las aguas le presentó un hacha de plata.

— Tampoco es ésa —dijo el Mujik.

Entonces el Espíritu le presentó su propia hacha de hierro.

Viéndola, el Mujik exclamó:

— ¡Esa es la mía!

Para recompensarlo por su honradez, el Espíritu le dio las tres hachas.

De regreso a su casa, el Mujik mostró su regalo, contando su aventura a sus amigos.

Uno de ellos quiso probar suerte: fue a la orilla del río, dejó caer un hacha y rompió a llorar:

El Espíritu de las aguas le presentó un hacha de oro y le preguntó:

—¿Es ésta tu hacha?

El Mujik, lleno de alegría, respondió:

—Sí, sí, es la mía.

El Espíritu no le dio el hacha de oro ni la suya de hierro, en castigo de su mentira.

León Tolstoi.

El cuento tiene 177 palabras. Casi siempre se reconstruye en mayor número de palabras.

4.8. MI DIARIO

SERIE: FORMAS DE EXPRESION

OBJETIVOS: —Aplicar las técnicas de la narración.
—Identificar la necesidad de escribir habitualmente.

PROCEDIMIENTO: La persona narrará sus experiencias diarias por quince días consecutivos.
Redactará una cuartilla diaria, de preferencia al finalizar el día. Si el día pareció rutinario o intrascendente, esto indicará pobreza de observación. De cualquier forma se podrá describir algún estado de ánimo, o persona, o bien algún objeto sobre el cual no se haya reflexionado anteriormente.

INSTRUMENTOS: —Hojas blancas.

4.9. CARTA A. . .

SERIE: FORMAS DE EXPRESION

OBJETIVOS: —Redactar una carta personal.
—Aplicar las técnicas de la narración.

PROCEDIMIENTO: Se redactará una carta, de una y media a tres cuartillas, a una persona con la cual se quiera comunicarse, por ejemplo al presidente, a un escritor, a un pariente lejano, etc.
Este ejercicio como carta dirigida al profesor puede servir de evaluación formativa o sumaria.

INSTRUMENTOS: —Hojas blancas.

4.10. ¿QUIEN SOY?

SERIE: FORMAS DE EXPRESION

OBJETIVO: —Aplicar las técnicas de la narración.
—Redactar una composición.

PROCEDIMIENTO: El alumno narrará una experiencia personal en la que haya vivido sensaciones desconocidas por él hasta ese momento.
Redactará de una y media a tres cuartillas. El principio es mantener una expresión fluida sin tapujos, ni autocensuras.

INSTRUMENTOS: —Hojas blancas.

4.11. DADO UN EPILOGO

SERIE: FORMAS DE EXPRESION

OBJETIVOS: —Aplicar las técnicas de la narración y la descripción.
—Ejercitar la imaginación creativa.

PROCEDIMIENTO: Dado un epílogo el participante inventará y redactará una historia.
Redactará de una y media a tres cuartillas. Se puede seleccionar el final de una obra, cuento o información periodística.
Un ejemplo puede ser el siguiente: el cuento más corto que existe es: "Y cuando despertó, el dragón aún estaba ahí". El participante creará una historia que le explique lo que hay antes y en el momento de la frase.

INSTRUMENTOS: —Un epílogo.
—Hojas blancas.

4.12. CUENTO DE UN MINUTO

SERIE: FORMAS DE EXPRESION

OBJETIVOS. —Ejercitar la imaginación creativa.
—Aplicar las técnicas de la narración.

PROCEDIMIENTO: Se redactará un cuento basándose en las siguientes instrucciones:

1. Que sea una historia completa.
2. Que sea una narración donde haya escaso o ningún diálogo.
3. Que tenga un final inesperado.
4. Que tenga 142 palabras como mínimo y *144 palabras máximo* (casi media cuartilla).

INSTRUMENTOS: —Hojas blancas.

4.13. CUENTO AL ESTILO DE LOS GRANDES CUENTISTAS

SERIE: FORMAS DE EXPRESION

OBJETIVOS: —Ejercitar la imaginación creativa.
—Aplicar las técnicas de la narración, en general y del cuento en particular.

PROCEDIMIENTO: Se redactará un cuento que incluya todos los enunciados siguientes y que trate lo absurdo, lo trágico, que tenga misterio y un final inesperado:

1. Tarde de invierno con nubes rojas y siluetas de árboles desnudos.
2. Piedras de colores como el arco iris.
3. Chillido agudo, interminable, como caer en el vacío.

4. Luna llena esplendorosa.
5. El miedo cuarteaba al edificio.
6. Niños de sonrisa amarga.
7. Dos gatitos blancos recién nacidos.
8. Una mujer vestida de negro.
9. Olor a tierra húmeda.
10. Un tulipán rosa con gotas de rocío.

INSTRUMENTOS NECESARIOS: —Hojas blancas.

LECTURA RECOMENDADA: *Cuentos* de Horacio Quiroga, Ed. Porrúa.

4.14. RE CUENTO

SERIE: FORMAS DE EXPRESION

OBJETIVOS: —Aplicar las técnicas de la narración.

PROCEDIMIENTO: Con el siguiente argumento escriba un cuento que tenga un mínimo de una y media cuartilla y tres máximo:

París. Una familia obrera. El padre es electricista y tiene que asistir a una junta muy importante del sindicato, pero el hijo está enfermo. La esposa le dice que vaya.

Dos horas después el niño se asfixia. El doctor tiene que cortar el cuello para meter un tubo por donde el niño respire. Se apaga la luz. Buscan una vela. Demasiado tarde, el niño ha muerto.

Entra el padre con una sonrisa de triunfo: ¡Victoria, la huelga se declaró y no hay luz en todo París!

INSTRUMENTOS: —Hojas blancas.

4.15. IMITACION DE ROSARIO CASTELLANOS

SERIE: FORMAS DE EXPRESION

OBJETIVOS: Redactar un texto que imite el estilo de Rosario Castellanos.

PROCEDIMIENTO: Selecciónese un pasaje autobiográfico. Redáctense tres cuartillas con base en los siguientes indicadores:

1. El pasaje autobiográfico debe contener un hecho sucedido en la niñez o en la juventud que haya sido trascendente en la vida de la persona.
2. Escribir frases de 3 a 18 palabras como máximo.
3. Dividir la historia en 4 capítulos.
4. En caso de usar regionalismos o palabras en lenguaje vulgar ponerlos en un contexto lo suficientemente claro como para que se entiendan en vez de explicarlas.

INSTRUMENTOS: —Hojas blancas.

LECTURA RECOMENDADA: *Balún Canán* de Rosario Castellanos, Ed. Fondo de Cultura Económica.

4.16. PONGASE LOS ZAPATOS DE ALFONSO REYES *

SERIE: CREATIVIDAD

OBJETIVOS: —Redactar un trabajo de dos a tres cuartillas.
—Ejercitar la imaginación creativa.

* Lucero Lozano **Español funcional** T. I.

PROCEDIMIENTO: Se leerá el libro *Vida y ficción* de Alfonso Reyes. De una lista de 5 temas, el alumno escogerá uno que desarrollará por escrito en un mínimo de dos y máximo de tres cuartillas.

INSTRUMENTOS: Texto de Alfonso Reyes *Vida y ficción*, México, F. C. E., 1970.

Temas:

1. Soy Alfonso Reyes y cuento cómo se me ocurrió escribir este texto.
2. ¿Qué pasó con el indio Jesús después de que leyó la Carta Magna?
3. El hombrecito del plato le hace una segunda visita al escritor. . .
4. Soy representante diplomático y ha surgido un suceso que debo trasmitir por el "Alfabeto César". .
5. Soy Pellerin y pido una entrevista con el Secretario de Educación Pública. Es una odisea más complicada que ver al Presidente. . .

4.17. DRAMAS HECHOS EN CASA

SERIE: CREATIVIDAD

OBJETIVOS: —Aplicar la imaginación creativa.
—Redactar una historia.

PROCEDIMIENTO: A partir de una situación dramática se redactará una historia en un mínimo de tres cuartillas y un máximo de diez donde exista un drama que puede tener un final trágico o feliz.

A continuación está una lista de las 36 situaciones dramáticas de Gozzi y Polti.

INSTRUMENTOS: —Lista de situaciones dramáticas.
—Hojas blancas.

LAS 36 SITUACIONES DRAMATICAS

(Según Gozzi y Polti)

1. Súplica (Elementos: uno que persigue; uno que suplica; una autoridad de dudosas decisiones).
2. Rescate (Elementos: uno que amenaza; un desdichado; uno que rescata).
3. El crimen perseguido por venganza (no por la autoridad). (Elementos: un criminal y uno que toma venganza de él).
4. Venganza de parientes sobre parientes (Elementos: Pariente culpable, pariente vengador, recuerdo de la víctima, pariente de ambos).
5. Persecución (Elementos: el que huye y quien lo persigue para castigarlo).
6. Desastre (Elementos: un poderoso que conquista y un enemigo victorioso).
7. Víctimas de la crueldad o la desgracia (Elementos: un desdichado, un amo o una desgracia).
8. Rebelión (Elementos: el tirano y el conspirador).
9. Empresas atrevidas (Elementos: un lider audaz y valiente; un objetivo; un adversario).
10. Secuestro (Elementos: el raptor; el raptado o raptada; la autoridad o policía).
11. Enigma (Elementos: el problema que se resolverá, el investigador o interrogador y el policía o autoridad).
12. Logro o consecución (Elementos: uno que pide y su adversario que niega, para que surja el conflicto; o

bien, un árbitro más o menos impositivo dado su poder y las partes oponentes a ese árbitro).

13. Enemistad de parientes (Elementos: un pariente malévolo, villano; un pariente odiado por aquél).
14. Rivalidad entre parientes (Elementos: el pariente preferido, el pariente querido; el pariente rechazado, eliminado; el objetivo que se conseguirá).
15. Adulterio homicida (Elementos: los dos adúlteros; el esposo o la esposa traicionados).
16. Locura (Elementos: el loco o la loca y su víctima o víctimas).
17. Imprudencia fatal (Elementos: el imprudente; la víctima de la imprudencia o el objeto u objetivo perdido por esa imprudencia).
18. Crímenes involuntarios de amor (Elementos: el amante o enamorada y el que hace una sorpresiva e inesperada revelación, trágica o dramática).
19. Asesinato de un pariente no reconocido (Elementos: el asesino y la víctima no reconocida).
20. Auto-sacrificio por un ideal (Elementos: el héroe; el ideal).
21. Auto-sacrificio por los parientes (Elementos: el héroe; el o los parientes por quienes el héroe se sacrifica).
22. Todos sacrificados por una pasión (Elementos: el enamorado; el objeto de la pasión fatal; la persona sacrificada).
23. Necesidad de sacrificar personas amadas (Elementos: el héroe; la víctima amada; la necesidad del sacrificio).
24. Rivalidad entre superior e inferior (Elementos: el rival que es superior; el rival inferior; el objetivo).
25. Adulterio (Elementos: un esposo o esposa traicionados; los dos adúlteros).
26. Crímenes de amor (Elementos: el amante; la persona amada por él).

27. Descubrimiento de la deshonra de la persona amada (Elementos: el que descubre la deshonra; la persona culpable de esa deshonra).
28. Obstáculos al amor (Elementos: los dos que se aman; el obstáculo).
29. Un enemigo amado (Elementos: el enemigo amado; la persona que lo ama; el que odia a ese enemigo amado).
30. Ambición (Elementos: una persona ambiciosa; el objeto codiciado; un adversario).
31. Conflicto con Dios (Elementos: un mortal; Dios, el inmortal).
32. Celos equívocos o erróneos (Elementos: el celoso; la persona de quien está celoso; el supuesto rival; la causa o autor del error).
33. Juicios erróneos (Elementos: el equivocado; la víctima del error; la causa o autor del error; la persona verdaderamente culpable).
34. Remordimiento (Elementos: el culpable; la víctima).
35. Recuperación de una persona perdida (Elementos: el perdido; el que lo encuentra).
36. Pérdida de personas amadas (Elementos: la pariente o parienta que es asesinada; otro pariente como simple espectador; un verdugo).

4.18. EMOCIONES Y SENTIMIENTOS

SERIE: FORMAS DE EXPRESION

OBJETIVOS: —Practicar la descripción de emociones y sentimientos.
—Distinguir los diferentes sentimientos y emociones.

PROCEDIMIENTO: Describa en cinco renglones mínimo y diez máximo cada una de las siguientes emociones y sentimientos.

INSTRUMENTOS: —Lista de emociones y sentimientos.
—Hojas blancas.

admiración, amor propio, amor, avidez, angustia, avaricia, alegría, audacia, abyección, bajeza, cólera, codicia, pena, temor, valor, curiosidad, caridad, confianza, desesperación, duelo, desconfianza, dureza (agresión), discordia, dolor, deseo, desdén, desolación, esperanza, emulación, entusiasmo, espanto, envidia, arrebato, terror, fastidio, favor, furor, generosidad, gloria, grandeza de alma, gula, glotonería, humildad, odio, atrevimiento, vergüenza, indignación, irresolución, enemistad, embriaguez, celos, gozo, cobardía, lujuria, lamentación, desprecio, burla, malignidad, orgullo, piedad, pusilanimidad, remordimiento, arrepentimiento, reconocimiento, pesar, risa, seguridad, satisfacción de sí mismo, sobrecogimiento, preocupación, sensualidad, temeridad, tristeza, timidez, veneración, vanidad, venganza.

C. *La argumentación*

Propósito: Convencer, persuadir al público para que adopte cierta doctrina, actitud o que tome un curso de acción.

ARGUMENTACION: Cadena de argumentos (razonamientos para conseguir la aceptación o rechazo de una tesis) presentados y discutidos convencionalmente, que conducen al mismo propósito.

La argumentación combina la exposición con la descripción y la narración: razona y fundamenta con recursos emocionales para persuadir con más facilidad.

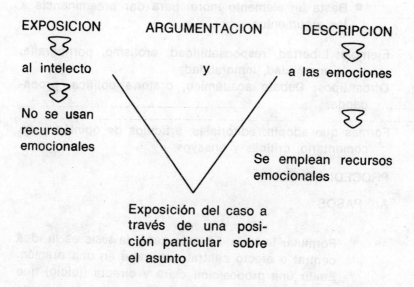

EXPOSICION — ARGUMENTACION — DESCRIPCION

al intelecto y a las emociones

No se usan recursos emocionales

Se emplean recursos emocionales

Exposición del caso a través de una posición particular sobre el asunto

TIPOS REPRESENTATIVOS:

A. Argumentación sobre asuntos públicos.

- Temas de interés común o general.
- Quien la use debe:
  - estar informado sobre el suceso
  - tener una opinión sobre el suceso.
- Temas sobre problemas discutidos frecuentemente o de medidas: política extranjera, salud pública, educación.

B. Argumentación sobre asuntos éticos o religiosos.

- Hay más argumentos reales que explícitos.
- Basta un elemento moral para dar preeminencia a los argumentos.

Ejemplo: Libertad, responsabilidad, erotismo, pornografía, moralidad, inmoralidad.

Otros tipos: Debate académico, oratoria política, propaganda.

Formas que adopta: editoriales, artículos de opinión y de comentario, críticas y ensayos.

PROCEDIMIENTO:

A. PASOS

1. Formular la tesis. En este caso, la tesis es la idea central o efecto central que cabe en una oración. Emitir una proposición clara y directa (juicio) que será probada o demostrada.
2. Analizar la demostración. Equivale a exponer la cadena de argumentos que nos han llevado a establecer la tesis o las razones independientes que han reforzado la tesis.
3. Probar y razonar las evidencias. Esto es, reforzar los puntos que debe probar con hechos. En argumentaciones informales bastará con el conocimiento personal y la observación directa de la realidad. Pero hay argumentaciones donde el autor está obligado a saber más del conocimiento común.
4. Anticipar y refutar argumentos en contra.
   - No esencial.
   - Buena táctica es anticiparse a refutar las objeciones antes de que se inicien.

B. CONTENIDO

1. Tema:
   - Estar bien informado y tener una opinión definida sobre el asunto.
   - Conocer todos los aspectos del tema.
2. Aplicar las normas gramaticales y manejar un amplio vocabulario.
   - Las opiniones deben expresarse en forma clara, sencilla y concisa.
   - El amplio vocabulario ayuda con habilidad a la mejor argumentación, ej: en algunos momentos es más expresivo y más enfático decir aprehender que aprender.
3. Conciencia del tipo de argumentos.
   - Hay que responsabilizarse por las proposiciones vertidas.
   - Cuidado con las sanciones morales o jurídicas, que llevan tales proposiciones.
   - Toda argumentación tiene una cuestión moral: la buena argumentación puede ser moral o inmoral, benéfica o dañina.

Enseguida la forma más común que adopta la argumentación en los periódicos: el artículo editorial.

*¿HACIA DONDE VA NUESTRO PAIS?**

Octubre 2 de 1968.

¿HACIA DONDE VA NUESTRO PAIS? Es necesario dejar constancia de nuestro duelo, de nuestro indignado

* Francisco Martínez de la Vega, **En la Esquina,** pp. 403-404.

asombro por esa noche de Tlatelolco que presidieron la barbarie, el primitivismo, el odio y los más siniestros impulsos. Con Abel Quezada, todos pasaremos mucho tiempo preguntando, ¿por qué? Y nadie podrá explicarlo. En esa plaza de las Tres Culturas naufragaron muchos de los más costosos y prolongados esfuerzos mexicanos. ¿Es esa la expresión justa del orden que salvará al país? ¿Consuela en algo que los tanques agresores no fueran extranjeros cuando las víctimas son mexicanos? No será fácil encontrar la razón de todo este proceso infernal que enluta a México. Hay un hado maléfico que preside todo este proceso de los dramáticos errores, de la impericia y la incomprensión. Es el que inspira nuevas y más graves complicaciones, cuando parece encontrarse el camino de solución; es el que aviva rencores cuando la razón y la paz se insinúan.

Se habla, razonablemente, de provocadores empeñados a que no se llegue a un entendimiento. Cárdenas tiene razón cuando condena la violencia en las dos partes del conflicto y apunta sus advertencias hacia la CIA, organismo tan famoso en esta clase de siniestras actividades. Pero, la denuncia de un asustado miembro del Comité de Huelga, da lugar a las mezquinas revanchas, a mencionar nombres de instigadores sólo de oídas, a señalar responsabilidades en gentes que fueron poderosas, pero que es obvio que ya no lo son. Y el oportunismo más lamentable insiste en dar carácter patriótico a una "cacería de brujas" evidente, a un estado de emergencia no declarado y a someter todas las decisiones a las autoridades castrenses. Se llenan las cárceles porque sí y porque no y se conmina a los padres de familia a que cuiden a sus hijos, cuando muchos de esos padres lloran la desaparición de esos hijos.

PROVOCACION EN LOS DOS FRENTES. Quizás lo único que pudiera permitirnos buscar certeramente una explicación es admitir la hipótesis de los provocadores. Primero en las fantasías y excesos de la rebeldía juvenil; después en las esferas gubernamentales. Pero, en verdad, no es la clarificación de las responsabilidades lo que ahora nos angustia. No pretendemos ya saber quién o quiénes tuvieron la culpa, cuando invocar un retorno a la razón, a la paz que pedimos y que necesitamos todos. Un retorno a la atmósfera en que nos respetemos mutuamente, de acuerdo con nuestro texto y el espíritu de nuestra Constitución y no según los impulsos circunstanciales. Antes que reclamar al heridor su delito, es menester curar la herida, hacer cesar la hemorragia. Y, además, ya que tantas veces pedimos serenidad a los estudiantes, pedirla ahora, insistentemente, a las autoridades. Un país entero fue herido en Tlatelolco. Acudamos a la curación. Es lo primero.

Ese acudir al remedio es lo impostergable. Recuperar lo que se perdió en las sombras de esa noche de Tlatelolco es vital para el país. Volver los soldados a los cuarteles; vaciar las cárceles de prisioneros y purgar el ánimo de rencores y de impulsos revanchistas es el mandato de esta hora negra. Nadie gana en esta contienda en la que naufraga México. Guardemos luto en nuestros corazones, pero aprestemos el ánimo a cumplir los deberes de conciliación, del orden fecundo, que no puede ser el que se impone por las armas, sino el que se conquista con la razón. No dividamos el país entre gobernantes y gobernados, porque, en ese caso, todos habremos sido derrotados. Y el caos y la anarquía serán los únicos vencedores, con el anti-México listo para apoderarse del botín. Un anti-México que nos está enseñando su innoble rostro, con la mueca del odio; con la helada negación a la esperanza y a la luz.

Este es un modelo de Ensayo, otra forma que adopta la argumentación:

EL "PELADO"

Para comprender el mecanismo de la mente mexicana, la examinaremos en un tipo social en donde todos sus movimientos se encuentran exacerbados, de tal suerte que se percibe muy bien el sentido de su trayectoria. El mejor ejemplar para estudio es el "pelado" mexicano, pues él constituye la expresión más elemental y bien dibujada del carácter nacional. No hablaremos de su aspecto pintoresco, que se ha reproducido hasta el cansancio en el teatro popular, en la novela y en la pintura. Aquí sólo nos interesa verlo por dentro, para saber qué fuerzas elementales determinan su carácter. Su nombre lo define con mucha exactitud. Es un individuo que lleva su alma al descubierto, sin que nada esconda en sus más íntimos resortes. Ostenta cínicamente ciertos impulsos elementales que otros hombres procuran disimular. El "pelado" pertenece a una fauna social de categoría infame y representa el desecho humano de la gran ciudad. En la jerarquía económica es menos que un proletario y en la intelectual un primitivo. La vida le ha sido hostil por todos lados, y su actitud ante ella es de un negro resentimiento. Es un ser de naturaleza explosiva cuyo trato es peligroso, porque estalla al roce más leve. Sus explosiones son verbales, y tienen como tema la afirmación de sí mismo en un lenguaje grosero y agresivo. Ha creado un dialecto propio cuyo léxico abunda en palabras de uso corriente a las que da un sentido nuevo. Es un animal que se entrega a pantomimas de ferocidad para asustar a los demás, haciéndole creer que es más fuerte y decidido. Tales reacciones son un desquite ilusorio de su situación real en la vida, que es la de un cero a la izquierda. Esta verdad desagradable trata de asomar a la superficie de la conciencia, pero se lo impide otra fuerza que mantiene dentro de lo inconsciente cuanto puede rebajar el sentimiento de la valía personal. Toda circunstancia exterior que pueda hacer resaltar el sentimiento de menor valía, provocará una reacción violenta del individuo con la mira de sobreponerse a la depresión. De aquí una constante irritabilidad que lo hace reñir con los demás por el motivo más insignificante. El espíritu belicoso no se explica, en este caso, por un sentimiento de hostilidad al género humano. El "pelado" busca la riña como un excitante para elevar el tono de su "yo" deprimido. Necesita un punto de apoyo para recobrar la fe en sí mismo, perc como está desprovisto de todo valor real, tiene que suplirlo con uno ficticio. Es como un náufrago que se agita en la nada y descubre de improviso una tabla de salvación: la virilidad. La terminología del "pelado" abunda en alusiones sexuales que revela una obsesión fálica, nacida para considerar el órgano sexual como símbolo de 2a. fuerza masculina. En sus combates verbales atribuye al adversario una femineidad imaginaria, reservando para sí el papel masculino. Con este ardid pretende afirmar su superioridad sobre el contrincante.

Quisiéramos demostrar estas ideas con ejemplos. Desgraciadamente, el lenguaje del "pelado" es de un realismo tan crudo, que es imposible transcribir muchas de sus frases más características. No podemos omitir, sin embargo, ciertas expresiones típicas. El lector no debe tomar a mal que citemos aquí palabras que en México no se pronuncian más que en conversaciones íntimas, pues el psicólogo ve, a través de su vulgaridad y grosería, otro sentido más noble. Y sería imperdonable que prescindiera de un valioso material de estudio por ceder a una mal entendida decencia de lenguaje. Sería como si un químico rehusara analizar las sustancias que huelen mal.

Aun cuando el "pelado" mexicano sea completamente desgraciado, se consuela con gritar al mundo que tiene "muchos huevos" (así llama a los testículos). Lo importante es advertir que en este órgano no hace residir solamente una especie de potencia, la sexual, sino toda clase de potencia humana. Para el "pelado", cualquier parte, es porque tiene "muchos huevos". Citaremos otras de sus expresiones favoritas: "Yo soy tu padre", cuya intención es claramente afirmar el predominio. Es seguro que en nuestras sociedades patriarcales el padre es para todo hombre el símbolo del poder. Es preciso advertir también que la obsesión fálica del "pelado" no es comparable a los cultos fálicos, en cuyo fondo nace la idea de la fecundidad y la vida eterna. El falo sugiere al "pelado" la idea del poder. De aquí ha derivado un concepto muy empobrecido del hombre. Como él es, en efecto, un ser sin único valor que está a su alcance: el del macho. Este concepto popular del hombre se ha convertido en un prejuicio funesto para todo mexicano. Cuando éste se compara con el hombre civilizado extranjero y resalta su nulidad, se consuela del siguiente modo: "Un europeo —dice— tiene la ciencia, el arte, la técnica, etc., etc.; aquí no tenemos nada de esto, pero. . . somos muy hombres". Hombres en la acepción zoológica de la palabra, es decir, un macho que disfruta de toda la potencia animal. El mexicano, amante de ser fanfarrón, cree que esa potencia se demuestra con la valentía. ¡Si supiera que esa valentía es una cortina de humo!

No debemos, pues, dejarnos engañar por las apariencias. El "pelado" no es un hombre fuerte ni un hombre valiente. La fisonomía que nos muestra es falsa. Se trata de un "camuflage" para despistar a él y a todos los que lo tratan. Puede establecerse que, mientras las manifestaciones de valentía y de fuerza son mayores, mayor es la debilidad que se quiere cubrir. Por más que con esta ilusión el "pelado" se engañe a sí mismo, mientras su debilidad esté presente, amenazando traicionarlo, no puede estar seguro de su fuerza. Vive en un continuo temor de ser descubierto, desconfiado de sí mismo, y por ello su percepción se hace anormal; imagina que el primer recién llegado es su enemigo, y desconfía de todo hombre que se le acerca.

Hecha esta breve descripción del "pelado" mexicano, es conveniente esquematizar su estructura y funcionamiento mental, para entender después la psicología del mexicano.

I. El "pelado" tiene dos personalidades: una real, otra ficticia.

II. La personalidad reaı queda oculta por ésta última, que es la que aparece ante el sujeto mismo y ante los demás.

III. La personalidad ficticia es diametralmente opuesta a la real, porque el objeto de la primera es elevar el tono psíquico deprimido por la segunda.

IV. Como el sujeto carece de todo valor humano y es importante para adquirirlo de hecho, se sirve de un ardid para ocultar sus sentimientos de menor valía.

V. La falta de apoyo real que tiene la personalidad ficticia crea un sentimiento de desconfianza de sí mismo.

VI. La desconfianza de sí mismo produce una anormalidad de funcionamiento psíquico, sobre todo en la percepción de la realidad.

VII. Esta percepción anormal consiste en una desconfianza injustificada de los demás, así como una hiperestesia de la susceptibilidad al contacto con los otros hombres.

VIII. Como nuestro tipo vive en falso, su posición es siempre inestable y lo obliga a vigilar constantemente su "yo", desatendiendo la realidad.

La falta de atención por la realidad y el ensimismamiento correlativo, autorizan a clasificar al "pelado" en el grupo de los "introvertidos".

Pudiera pensarse que la presencia de un sentimiento de menor valía en el "pelado" no se debe al hecho de ser mexicano, sino a su condición de proletario. En efecto, esta última circunstancia es capaz de crear por sí sola aquel sentimiento, pero hay motivos para considerar que no es el único factor que lo determine en el "pelado". Hacemos notar aquí que éste asocia su concepto de hombría con su nacionalidad, creando el error de que la valentía es la nota peculiar del mexicano. Para corroborar que la nacionalidad crea por sí un sentimiento de menor valía, se puede anotar la susceptibilidad de sus sentimientos patrióticos y su expresión inflamada de palabras y gritos. La frecuencia de las manifestaciones patrióticas individuales y colectivas es un símbolo de que el mexicano está inseguro del valor de su nacionalidad. La prueba decisiva de nuestra afirmación se encuentra en el hecho de que aquel sentimiento existe en los mexicanos cultivados e inteligentes que pertenecen a la burguesía.

Samuel Ramos; **El perfil del hombre y la cultura de México.** pp. 53-57.

4.19. DESDE MI PUNTO DE VISTA

SERIE: FORMAS DE EXPRESION

OBJETIVO: —Aplicar las técnicas de la argumentación.

PROCEDIMIENTO: Se redactará una argumentación sobre un tema de actualidad y de interés general en una extensión de una y media a tres cuartillas.
Iniciará su trabajo con el planteamiento de una tesis (idea central), la demostrará con argumentos confiables; acudirá a las evidencias para reforzar la demostración y, de ser posible, aludirá a posibles argumentos en contra.
Temas de interés general pueden ser: salud pública, educación, delincuencia, contaminación ambiental, asuntos éticos y religiosos.

INSTRUMENTOS: —Hojas blancas.

4.20. RAZON Y SINRAZON

OBJETIVOS: —Aplicar las técnicas de la argumentación.
—Diferenciar los dos puntos de vista de una argumentación.

PROCEDIMIENTO: Se redactará una argumentación favorable sobre un asunto contrario a los principios en una extensión de una y media a tres cuartillas.
La idea es defender un punto de vista que, atendiendo a nuestros principios, atacamos.

INSTRUMENTOS: —Hojas blancas.

D. *Exposición*

- Forma del discurso o de expresión.
- Propósito central: explicar a través de enunciados ordenados y sistemáticos de hechos e ideas.

Se dirige a la inteligencia y para ello utiliza un lenguaje claro y directo.

Adopta las siguientes formas:

1. *Definición:* exposición del significado de las palabras. La definición más breve, más concisa, será la mejor.
2. *Análisis:* fragmentación ordenada de un objeto o de un sujeto en sus distintas partes lógicas.

   Es de tres tipos:

   Clasificación: separamos los miembros de un sujeto plural y los acomodamos de acuerdo a un mismo punto de vista.
   División: separamos los sujetos singulares agrupando las distintas partes en un denominador común.
   Proceso: es la explicación de cómo se hace algo. Se requiere dominio del conocimiento.

3. *Resumen:* es la exposición condensada de los principales elementos de un escrito.
4. *Reseña:* es el informe sobre una obra, libro o acontecimiento después de haberlo presenciado o leído. Se caracteriza por la evaluación, la interpretación y el ejercicio del sentido crítico.
5. *Informe:* exposición escrita de una investigación sistemática que da respuesta lógica a una pregunta concre-

ta. Se debe organizar sistemáticamente, escribirse en lenguaje claro y sencillo.

4.21. DEFINICION

Defina lo que entiende por redacción en un máximo de tres líneas:

____

____

____

4.22. RESUMEN

Resuma los puntos que le interesaron más de este texto y explique por qué:

____

____

____

____

____

____

____

____

____

____

____

____

____

____

____

____

____

4.23. DIGA LO CONTRARIO

SERIE: FORMAS DE EXPRESION

OBJETIVOS: —Resumir, a través de inferir lo contrario al texto, las bases de una buena redacción.
—Elaborar un cuadro sinóptico.

PROCEDIMIENTO: Basado en el texto "Las bases para una mala redacción" se inferirán las bases para una buena redacción y se elaborará un cuadro sinóptico con ellas.

INSTRUMENTOS: —Hojas blancas.
—Texto "Las bases para una mala redacción".

LAS BASES PARA UNA MALA REDACCION

Paul W. Merill.

Observatorio Monte Wilson

Son numerosos los libros y artículos sobre buena redacción, pero ¿dónde puede uno encontrar consejos prácticos y seguros sobre cómo escribir mal? Una mala redacción es tan común que cualquier persona instruida debiera saber algo acerca de ella. Muchos científicos redactan pobremente, pero quizás sólo por intuición, sin percibir claramente cómo logran sus resultados. Un artículo sobre las bases de la mala redacción pudiera ayudar a que cobren conciencia del arte de escribir mal.

Todo autor se considera bien calificado para redactar mal un artículo, ya que puede escribir mal sin siquiera intentarlo. El estudiante promedio encuentra sorprendentemente fácil aprender los trucos esenciales de una mala redacción, pero para hacerla en forma congruente, deben conocerse unos cuantos principios esenciales: 1) olvide al lector, 2) sea prolijo, vago y pomposo, y 3) no revise.

OLVIDE AL LECTOR.

El mundo está dividido en dos grandes grupos: usted y los demás. Un poco de oscuridad o tortuosidad al redactar mantendrá los otros a distancia segura; si se acercan pueden ver demasiado. Redacte como si escribiera un diario personal, mantenga su mente concentrada en el tema sin pensar en el lector. Usted, el tema y el lector forman un mal triángulo que debe evitar. Esto es fundamental; tomar en consideración la probable reacción del lector es una seria amenaza a la mala redacción; aún más, requiere de esfuerzo mental considerable. Un argumento lógico es que si usted escribe suficientemente mal, tendrá tan pocos lectores que no merecerán esfuerzo alguno. Olvide al lector siempre que pueda. Si el título de un artículo, por ejemplo, significa algo para usted, suspenda ahí el escrito; no lo piense más; porque si el título desconcierta o desorienta al lector, usted ha ganado el primer asalto. En igual forma, el resto del artículo debe escribirlo para usted mismo, no para el lector. Practique una técnica de cara dura, manteniendo todos los hechos e ideas en el mismo nivel, o dándoles el mismo énfasis, sin indicaciones sobre la importancia relativa y sin intentar una secuencia lógica. Use frases largas que contengan muchas ideas débilmente relacionadas entre sí. La conjunción *Y* es el lazo de unión de empleo más frecuente en una mala redacción, ya que no indica causa o efecto, ni distingue entre las ideas principales y las subordinadas. Rara vez en la mala redacción aparecen *PORQUE,* o "punto y coma", puesto que ambos son reemplazados por Y. Jamás aparece "punto y seguido", por lo que no debe usted emplearlo nunca, por ningún motivo, si quiere escribir mal.

Esto no es todo, necesita usted disfrazar las transiciones del pensamiento. Evite palabras de conexión como ADEMAS, POR OTRA PARTE, SIN EMBARGO. Si es capaz de resistir la tentación de dar una señal de cambio de pensamiento, use COMO QUIERA QUE SEA.

Una buena oración empieza con el sujeto o con una frase especialmente significativa. El "antecedente oculto" es un truco común de la mala redacción; use un pronombre para referirse a un nombre muy lejano, o para uno francamente subordinado en el pensamiento o en la sintaxis; el pronombre deberá referirse a algo no expresado directamente. Si desea realizar un pequeño juego, ofrézcale al lector como carnada el antecedente equivocado y quedará admirado de cuán fácilmente lo pesca.

Al olvidar al lector evite la construcción paralela, la frase equivalente más sencilla, la cual, al proporcionar el símil, aclara el sentido de lo escrito. No hay necesidad de citar ejemplos, ni casos concretos que orienten la imaginación del lector para comprender las afirmaciones generales y abstractas. Debe haber sido un alma cándida la que dijo: "cuando el pensamiento es paralelo, hagamos las oraciones paralelas".

Usted sea más complicado, inesperado e inconsecuente. Escriba: "A está relacionado con B". "Hay una relación entre C y D". "Entre E y F existe una relación". La dificultad del lector será tanto mayor cuanto más complejas sean las oraciones paralelas y hasta parecerá que no hay ningún paralelismo.

En cualquier escrito técnico omita unos cuantos detalles, sobre todo aquellos detalles que la mayor parte de los lectores necesitan saber. Puesto que usted tuvo que descubrir estas cosas por el camino difícil, ¿por qué hacerlas fáciles para el lector? Evite definir los símbolos. Nunca especifique las unidades de los datos que presenta y, por supuesto, será cuestión de amor propio el dar valores numéricos de las constantes en las fórmulas. Con estas omisiones algunos escritos resultarán demasiado cortos, pero puede alargarlos explicando cosas que no necesitan explicación. Al describir tablas preste especial atención a los encabezados que se explican por sí mismos, y deje al lector que averigue el significado de Pr'.

SEA PROLIJO, VAGO Y POMPOSO

Los pecados capitales de la mala redacción son sencillez y concisión. Evite ser específico, esto lo limita, use bastante verborrea: incluya muchas palabras y oraciones superfluas. Un pensamiento árido le sugiere al escritor que la verborrea sirve en cierta forma como un pretexto o aun como un halo místico por medio del cual puede glorificarse una idea. Una nube de palabras sirve para ocultar los defectos de la observación o el análisis, bien por la oscuridad que provoca o porque distrae la atención del lector.

Introduzca nombres abstractos en cualquier instante, diciendo por ejemplo: "LA MAGNITUD DEL MOVIMIENTO en una DIRECCION hacia abajo no es de consideración".

Haga uso frecuente de las palabras CASO, CARACTER, CONDICION, PRIMERO Y ULTIMO, TIPO, TAL, MUY. Abuse de los gerundios, y empiece con ellos las oraciones más largas.

La mala redacción, como el buen futbol, es deslumbrante, pero no contiene información. Se usan con frecuencia los adjetivos para aturdir al lector; no es difícil hacerlos ostentosos o hiperbólicos; por lo menos pueden ser floridos o inexactos.

PALABRERIA

En lugar de escribir como en la Biblia:
"Dad al César lo que es del César",

Escriba:

"Se deberá considerar apropiado desde un punto de vista moral o ético, en el caso del César, proporcionar a ese potentado todos aquellos objetos y materiales de cualquier tipo o carácter en que pueda comprobarse que su fuente original sea del dominio del citado".

(Es lo mismo, ¿pero lo entendió?).

En lugar de decir en el lenguaje sencillo de Shakespeare:
"No soy orador como Bruto".

Escriba:

"El que habla no es lo que puede llamarse un adepto a la profesión de la oratoria, lo que puede decirse del señor Bruto".

En vez de escribir con concisión:
"Las fechas de varias observaciones son dudosas".

Escriba:

"Empero, se debe mencionar que en el caso de varias observaciones hay lugar para una duda considerable respecto a la exactitud de las fechas en que aquéllas fueran realizadas".

En vez de escribir en forma razonable:
"Ocurren cambios excepcionalmente rápidos en el país".

Escriba:

"Ocurren en el contexto del país cambios que son verdaderamente excepcionales respecto a la rapidez de su acontecimiento".

En vez de escribir sin dramatismo:

"Aparecerán dificultades matemáticas y de observación".

Escriba:

Se encontrarán dificultades formidables tanto de tipo matemático como observacionales.

LA PALABRA *CASO*

En vez de escribir:

"Dos comunidades cambiaron con rapidez".

Escriba:

"Hay dos *casos* en los cuales las comunidades cambiaron con una rapidez considerable".

En vez de escribir:

"Tres grupos tienen ingresos inferiores al ingreso medio".

Escriba:

"En tres *casos* el ingreso de los grupos es inferior al ingreso medio".

Inmaculada precisión de observación y cálculos extremadamente delicados. . . Esto probará al instante un mundo imponderable, etéreo. Nuestras acciones serán grandiosas. Qué bueno que nunca cese la energía pulsante del gran dínamo proveedor de la vida que hay en el cielo. Bueno es también que nos encontremos a una distancia segura del flameante remolino en el cual la Tierra podría caer, como una pelusa estremecida, en las brasas ardientes de un gran fuego.

NO REVISE

Escriba apresuradamente, de preferencia cuando esté cansado. *Hágalo sin plan,* escriba los puntos conforme se le ocurran. Jamás reescriba o redacte más de una vez el mismo texto. Así, el artículo será espontáneo, y pobre. Entregue su manuscrito en el momento de terminarlo. Releerlo pocos días después podría llevarlo a correciones que rara vez empeoran el escrito.

Si usted proporciona su manuscrito a colegas (una mala práctica), no preste atención a las críticas y comentarios. Más tarde, resista toda sugerencia del editor. Debe ser fuerte e infalible, no deje que nadie doblegue su personalidad. El crítico trata de molestarlo por algún motivo oculto inconfesable: la probabilidad que tiene de mejorar su escrito es tan grande que debe estar siempre en guardia.

SUGERENCIA FINAL PARA UNA MALA REDACCION:

NO LEA

V. LA CORRECCION DE ESTILO

En la guerra, en el amor, y en la literatura todo se vale.

Pero es indudable que si uno se acerca a un texto de redacción no es para hacer literatura de moda pasajera, sino para escribir de manera adecuada en la literatura de todos los tiempos. Esto es, que los demás nos entiendan y de paso, ¿por qué no? que nuestro escrito sea agradable.

Para adquirir este estilo personal de redactar se requiere escribir, escribir mucho. Ya antes recomendamos leer, ahora necesita usted escribir. De la práctica surgen las dudas, las situaciones concretas y es más factible desterrar nuestros problemas que si hablamos en términos de supuestos o especulaciones.

Una vez terminado un texto se tienen dos caminos: entregarlo de inmediato a su destino o revisarlo. El primer camino es el más rápido al fracaso y al empeoramiento del estilo.

Si usted eligió el camino de la revisión será conveniente que siga adelante en la lectura.

A la revisión se le conoce en términos técnicos como corrección de estilo.

Por lo general existe en las editoriales y en las empresas periodísticas personal encargado de esta labor y recibe el nombre de corrector de estilo.

En la corrección de estilo se identifican los errores de forma y de fondo y se corrigen, a veces con la consulta al autor, todo depende del tipo o la gravedad del error.

Lo interesante es que uno mismo se pueda volver su propio corrector de estilo, de tal manera que se adquiera, con pasos firmes, ese estilo personal de redactar.

Primero es conveniente que deje su texto reposar. Calcule el tiempo suficiente para que la distancia le permita ser su propio crítico. Es más fácil detectar los errores del texto a distancia que bajo los efectos de la euforia de haber concluido.

Ahora sí puede pasar a la revisión.

Entre los problemas más frecuentes con los cuales podría tropezar su escrito tenemos:

—Uso de frases cortas. Cuando se empieza a incursionar por el camino del buen decir casi siempre escribimos con frases largas. Una frase corta es más impactante, clara y directa. Cuente las palabras contenidas en sus frases, redúzcalas a 20, claro que sí se puede, suprima artículos, conjunciones innecesarias, evite dos palabras si una basta. En fin, revise hasta completar sólo veinte palabras por frase.

—Español del siglo XVI. Recuerde que lo importante es saber aplicar las cualidades del buen estilo literario. Evite escribir en español del siglo XVI que se caracterizaba por ser "confuso, difuso y profuso".

—La puntuación. Seguro le ha causado varios dolores de cabeza. Sin embargo, vuelva a revisar ese punto y coma, probablemente sea mejor poner punto y seguido. Recuerde que las ideas se expresan completas en una sola frase. Sepárelas con punto y aparte. Lea en voz alta, escucharse le ayudará a poner la puntuación.

—Lucidez. No se preocupe, no siempre está uno en condiciones de escribir con claridad. A veces es mejor no hacerlo si se ha pasado largo rato frente al papel sin escribir una sola letra. En mejor ocasión sentirá que avanza sensiblemente, ahí está la lucidez. De cualquier forma si hemos tenido que escribir en condiciones adversas es conveniente revisar esa parte con el mayor cuidado posible, seguramente refleja nuestro cansancio, nuestras preocupaciones. Aquí sí hay que ir al fondo, no sólo quedarse en la forma.

—Palabras y construcciones dudosas. Dice una regla de oro: si está en duda, corte. Siempre hay forma de sustituir la palabra o la construcción gramatical por otras. Recuerde que aquí tenemos la ilimitada posibilidad de recurrir a los diccionarios: generales, de sinónimos e ideas afines, de modismos, de mexicanismos, técnicos, especializados, de dudas sobre el idioma, de conjugaciones. Es el momento de borrar de una vez y para siempre la duda que aparece en nuestro papel.

—Ortografía. Palabra tabú para quienes adolecen de ella. No se desanime, revise acentos (a veces sobran o a veces faltan. No se libra de los acentos al escribir con mayúsculas, recuerde que éstas ya se acentúan). Distinga la preposición *a* de la forma verbal *ha*. Recuerde que la forma *a través* consta de dos palabras, lleva acento y no se escribe con z. *Asimismo* se escribe junto separada en tres palabras es el a sí mismo que tiene otro significado. Una revisión a las reglas ortográficas o tenerlas a la mano es siempre conveniente, en especial si usted acostumbra escribir ocasión con *C* o absorber con *V*.

—Créditos. Si usó una cita textual no olvide entrecomillarla. Escriba las referencias de todas aquellas ideas que no son suyas.

—Objetividad. Respete, sin alterar, ni en lo mínimo, las ideas y palabras de otras personas cuando se transcriban textualmente.

—Vicios de dicción. Son muy frecuentes. Cuídese especialmente de la cacofonía, la anfibología y la monotonía del lenguaje, son vicios muy difíciles de erradicar. Cuidado con el solecismo cuando su verbo y su sujeto fallen a las reglas de la concordancia: Recuerde que un sujeto plural requiere verbo en plural y un sujeto en singular, verbo en singular.

—Tecnicismos. Si los usa, explíquelos, o bien póngalos

en un contexto lo suficientemente claro como para que se entienda su significado.

Usted empezará a ser corrector de estilo cuando el lenguaje parezca plastilina en sus manos. Cuando lo pueda moldear, acortar, estirar, achicar, alargar, redondear, hacer lo que quiera con él. El único requisito es conocer el idioma.

Tenga siempre un diccionario cerca, lea obras hispanoamericanas de autores que escriben para todos los tiempos, escriba todo lo que pueda, de una y media a tres cuartillas diarias. En pocos días podrá sentir el cambio. Se opera una transformación del estilo, se conforma una manera personal de redactar.

El conocimiento de los signos de corrección de originales le facilitará enormemente la tarea de corregir.

Incluimos los signos de corrección de galeras útiles cuando usted revise textos que ya estén listos para impresión.

Recuerde que la corrección de originales se hace dentro del texto y la corrección de galeras, se hace a los márgenes. Esto con el fin de no maltratar o manchar el texto ya listo.

Algunos ejercicios de corrección y empleo de los signos ayudarán mucho a la tarea del buen estilo.

5.1. CORRECCION DEL ESTILO TELEGRAMA

Evite el estilo telegrama del siguiente párrafo:

Los estudiantes presentan el problema de bajo rendimiento escolar. Los alumnos no están conscientes de la responsabilidad que adquieren al ingresar a una escuela porque dedican poco o nulo tiempo al estudio.

La biblioteca se ve muy concurrida sólo en época de

exámenes. La mayoría de nuestros estudiantes provienen de niveles socioeconómicos y culturales débiles.

Las calificaciones en las materias teórico-prácticas son de un promedio menos al medio esperado.

Algunos campos clínicos se encuentran muy alejados de sus domicilios.

Su párrafo para ser correcto se debe parecer al siguiente:

Existe un conjunto de factores que son causa del bajo rendimiento escolar.

Tal parece que los estudiantes no están conscientes de la responsabilidad que adquieren al ingresar a la escuela. Dedican poco o nulo tiempo al estudio, de ello es testimonio la biblioteca que sólo en época de exámenes se ve muy concurrida.

De ahí que las calificaciones sean de un promedio menor al esperado.

Súmese a ello que la mayoría de los estudiantes proviene de bajos niveles socioeconómicos y culturales y que los campos clínicos para sus prácticas se encuentran muy alejados de sus domicilios.

5.2. CORRECCION DEL ESTILO "QUE"

En el siguiente párrafo hay exceso de "que" y fallas de concordancia, redáctelo de nuevo, puede mejorarlo considerablemente.

México que pertenece a los países en vías de desarrollo, no puede mantenerse al margen de la problemática mundial y latinoamericana en lo que respecta a este problema, datos estadísticos actuales indican que la diarrea infecciosa es un grave problema de salud pública estando ligada su frecuencia a la situación económica y grado de higiene de la comunidad.

____

____

____

____

____

Su corrección es adecuada si se parece a la siguiente:

México, como país en vías de desarrollo, no puede mantenerse al margen de la problemática mundial y latinoamericana en lo que respecta a este problema. Datos estadísticos actuales señalan a la diarrea infecciosa como un grave problema de salud pública cuya frecuencia está ligada a la situación económica y al grado de higiene de la comunidad.

5.3. CORRECCION DEL ESTILO MONOTONO

Corrija el estilo del siguiente párrafo:

Haz bien las cosas que hagas y no te contentes con hacer cosas mediocres para salir del paso, sino hazlas bien y a plena satisfacción.

El párrafo tiene varias deficiencias: monotonia y pobreza de vocabulario, abuso de la palabra cosa, frase coloquial (salir del paso) y una anfibología: hazlas bien (¿las cosas mediocres?). En este caso lo que procede es cambiar el texto sin alterar la idea. Inclusive el párrafo puede ampliarse o reducirse hasta que se considere que está adecuadamente expresado. Su párrafo corregido estará bien si se parece al siguiente:

Haz bien todo lo que hagas, con entera satisfacción. No te limites a mediocridades sólo por acabar pronto.

SIGNOS DE CORRECCION DE ORIGINALES
(Dentro del texto)

SIGNO	DEFINICION	EJEMPLOS
	Mayúscula,, versales o altas	el corrector debe
	Versalitas, mayúsculas de menor tamaño	en toda redacción
	Cursivas o itálicas	los mass media
	Negritas o tipo negro	es periodismo moderno
	Minúsculas o bajas	PERIODISMO TRASCENDENTE
	Sobre una mayúscula significa poner minúscula. Sobre una letra que esté de más o un signo de puntuación equivale a suprimir	todos Periodista debe saber

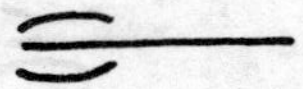	Cerrar líneas o espacios	en el orden de las palabras, amplificación, síntesis, sustitución de formas, supresión o aumento de signos de puntuación
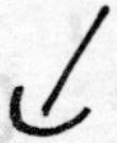	Suprimir una letra e indicar que se deben unir las siguientes	y auxi/liares, separación y
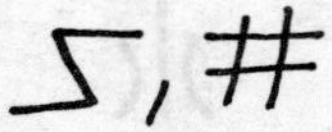	Punto y aparte	agrupamiento de frases. Veamos algunas frases mejoradas por
	Punto y seguido	Huir de lo anticuado. También de lo no significativo
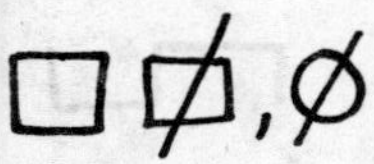	Sangrar línea	Ø Practicar el arte de escribir y luego su perfeccionamiento
	Sangrar dos o más líneas, correr texto hacia la derecha	Aumentar constantemente el vocabulario usual. Manejar con frecuencia diccionarios y vocabularios, para precaverse de la pobre-
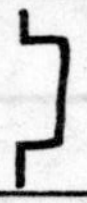	Correr texto hacia la izquierda	za expresiva. Se dice que el lenguaje crea al pensamiento: ampliar el lenguaje es agrandar el horizonte pensante.

	Suprimir una o más palabras	La nota informativa tiene por objeto informar de un suceso
	Trasponer o invertir letras	Inforamción completa
	Trasponer o invertir una o más palabras	Redactar es expresar pensamientos por escrito ordenados
	Suprimir algún signo de puntuarión o acento	Dominar el arte de tachar, y rehacer.
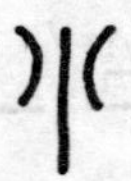	Separar o abrir palabras	La correcciónde estilo busca
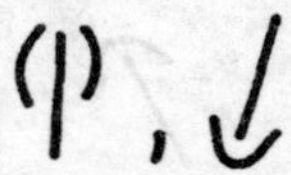	Unir o juntar letras o palabras	el empleo de for mas óptimas
	Abrir líneas o poner espacio	para expresar el contenido. Sus procedimientos habituales son: limpieza de expresiones, cambios

V, Ɣ, T, Λ, ?	Insertar letras, palabras o texto	La palabra es imperiosa en cualquier actividad moderna de índole luego entones,
⊤	Suprimir colgado o subir el texto	La palabra es el instrumento específico de la expresión indivi-
⊥, ↕	Colgar texto	dual y la comunicación entre los hombres. Este vehículo del lenguaje exterior puede ser manifestado
‿	Voladita para indicar nota	en forma oral o escrita 25
↘	Sigue el texto, después de la última línea de la cuartilla	se realizan una y otra.
• • • • •	Vale, como estaba	La ~~expresión~~ oral no sólo tiene
-φ-, ###, FIN	Concluye el texto.	moderna de toda índole.

5.4. CORRECCION DE ORIGINALES

Corrija el estilo del siguiente párrafo, utilice los signos de corrección de originales:

Sobre enfermería se encuentran escritos de diferente índolepero todo enfocado al area hospitalaria, enofcado a las funciones que desempeña la enfermera en alta especialidad, sin pensar que es más importante procurar que los paciente no alcance ese estado.

Su corrección es correcta si se parece a la siguiente:

Sobre enfermería se encuentran escritos de diferente

índole|pero todos referidos al área hospitalaria y enfocados a

las funciones que desempeña la enfermera en alta espe-

cialidad, sin pensar que es más importante procurar que

los pacientes no alcancen ese estado.

5.5. CORRECCION DE ORIGINALES

Corrija el estilo del siguiente párrafo. Se trata de hacer ágil y clara la redacción. Use los signos de corrección para originales:

Los pacientes infectocontagiosos toda su ropa se envía en un bulto y se metía al autoclave a esterilizar a altas temperaturas al salir esta se obervó que a parte de oler desagradablemente porque algunas veces iba acompañado de materia orgánica, se fijaba la sangre o cualquier secreción no desapareciendo con la lavada, quedando en malas condiciones para su uso.

Su corrección para ser correcta se debe parecer a la siguiente:

Los pacientes infectocontagiosos toda su ropa se envía en un bulto y se metía al autoclave a esterilizar a altas temperaturas, al salir esta se observó que a parte de oler desagradablemente porque algunas veces iba acompañado de materia orgánica, se fijaba la sangre o cualquier secreción no desapareciendo con la lavada, quedando en malas condiciones para su uso.

SIGNOS DE CORRECCION DE GALERAS
(a los márgenes)

SIGNO	DEFINICION	EJEMPLOS	
|,]Γ, ⅃, L, H, T, ⊥	Llamadas de atención para indicar correciones	Γr ⊥o	agega absereiones Lva
≡	Mayúsculas, versales o altas	/e	Organización de /estados Americanos
=	Versalitas o mayúsculas de menor tamaño	Hxx	El auge de los medios de comunicación en el siglo XX
—	Cursivas o itálicas	H mass media	Los /~~mass media~~/ son importantes dada su aceptación.
～～～	Negritas o tipo negro	H penetración	Influye el grado de /~~penotración~~/ en los
A̿	Minúsculas o bajas	/S	En el contexto de Comunicación /Social

	Cerrar líneas o suprimir blanco		Una vez terminado el escrito cabe una tarea final de crítica formalista, para el mejo-
	Abrir líneas o poner blanco		ramiento de la expresión. Comúnmente se llama corrección de estilo, sobre todo cuando la realizan personas que no
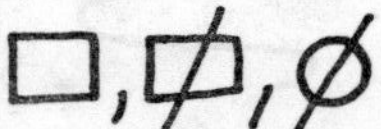	Sangrar línea	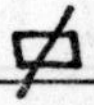	son los autores sino sus ojos ajenos que buscan mejorar el original. La corrección de estilo busca
	Sangrar dos o más líneas, correr el texto hacia la derecha	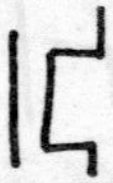	el empleo de formas óptimas para expresar el contenido. Sus procedimientos habituales son limpieza de expresiones, cambios
	Suprimir sangría, correr texto hacia la izquierda		Lope de Vega expresó que estilo es un "compuesto del genio natural, del arte y del estudio.
	Indica que debe suprimirse el callejón	ojo callejón	de las anfibologías en su de las palabras que se expre-
	Voladito. Para indicar notas o asteriscos que se ponen al pie de plana.		san emotivamente 25

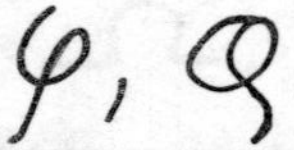	Suprimir letra(s), palabra(s), línea(s), párrafo(s)	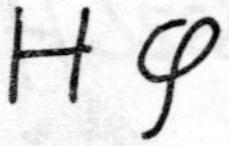	El talento ha sido considerado como una aptitud desarrollada y el genio, una larga pacien-
	Trasponer o invertir letras	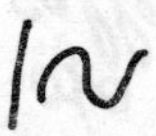	cia. Pero, aun aceptando el concepto genearlizado de que
	Invertir una o más palabras		el talento y el genio, así la sensibilidad como la
	Punto y aparte		fluidez y el buen gusto son cualidades innatas. Por otro lado el perfeccionamiento
	Punto y seguido		adecuación y operancia son personas bien dotadas. Es innegable que el escri-
	Separar o abrir palabras	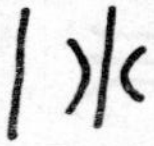	tor posee una individualidad deexpresión propia del conte-
	Unir o juntar letras	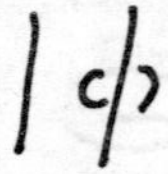	nido del estilo, también una téc nica de la expresión y

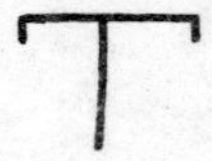	Suprimir colgado o subir el texto	Cuidar con esmero la adjetivación y el uso de adverbios, tan importantes
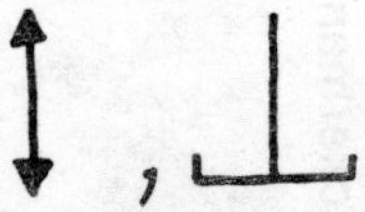	Colgar o bajar el texto	En la caracterización del estilo. Como los adjetivos y los adverbios po-
	Letra que no es del tipo o que está manchada o defectuosa	a/x nen una notaa defectuosa
	Texto borroso o sucio	Prestar especial atención al uso de la ppmtuuacciióónn y de los signos auxilia-
	Línea invertida	res, de tanta importancia en la claridad y la confianza en estilística

SUGERENCIAS DE AUTORES PARA LECTURAS DE PROSA Y POESIA HISPANOAMERICANAS

Agustini, Delmira
Asturias, Miguel Angel
Arreola, Juan José
Azuela, Mariano
"Azorín"
Baroja, Pío
Benítez, Fernando
Borges, Jorge Luis
Carballido, Emilio
Carpentier, Alejo
Castellanos, Rosario
Cervantes Saavedra, Miguel de
Cortázar, Julio
Díaz Mirón, Salvador
Fabián, Helena
Fuentes, Carlos
Galindo, Sergio
Gallegos, Rómulo
García Márquez, Gabriel
García Lorca, Federico
Gutiérrez Nájera, Manuel
Guzmán, Martín Luis
Huerta, Delfina
Ibarbourou, Juana de
Leñero, Vicente
León Felipe
Machado, Antonio
Machado, Manuel
Merino, Carlos
Merino, Adriana
Mirlo, Josué
Mistral, Gabriela
Neruda, Pablo
Nervo, Amado
O'Neill, Carlota
Ortega y Gasset, José
Palacios, Adela
Paz, Octavio
Quiroga, Horacio
Ramos, Samuel
Revueltas, José
Reyes, Alfonso
Rivera, José Eustasio
Romero, José Rubén
Rojas González, Francisco
Rulfo, Juan
Unamuno, Miguel de
Siliceo Ambía, Rosario
Sor Juana Inés de la Cruz
Storni, Alfonsina
Urbina, Luis G.
Vallejo, César
Vargas Llosa, Mario
Yáñez, Agustín
Zuckermann, Lydia

BIBLIOGRAFIA

Alonso, Amado y Henríquez Ureña, Pedro; *Gramática Castellana,* Buenos Aires, Ed. Losada, 1961, 232 p.

Baena Paz, Guillermina; *Prolegómenos de Redacción,* Ed. especial, México, UNAM, Dir. SUA-FCPS, 1976.

Baena Paz, Guillermina; *Redacción Aplicada (Ejercicios individuales y juegos en equipo),* México, Editores Mexicanos Unidos, 1982.

Baena Paz, Guillermina; *Antologia del Estilo,* México, FCPS, 1977, Ed. Fotocopiada.

Basulto, Hilda; *Curso de Redacción Dinámica,* México, Ed. Trillas, 1976.

Copi, Irving M.; *Introducción a la Lógica,* Argentina, Ed. Eudeba, 1967; 455 p.

Martínez de Souza, José; *Dudas y errores del lenguaje,* Barcelona, Ed. Bruguera, 1974.

Martín Vivaldi, Gonzalo; *Curso de Redacción* (6a. ed.), Madrid, Ed. Parafinfo, 1969.

Mateos Agustín; *Ejercicios Ortográficos,* México, Ed. Esfinge, 1973.

Revilla, Santiago; *Gramática española moderna,* México, Ed. Mc Graw-Hill, 1972, 264 p.

Seco, Manuel; *Diccionario de dudas de la lengua española,* Madrid, Ed. Aguilar, 1975.

Vivian y Jackson; *English composition;* E.U. Barnes y Noble, 1961.

---

* Las selecciones literarias incluyen la referencia dentro del texto.

INDICE

Edición 3 000 ejemplares
AGOSTO 1991
IMPRESOS NACIONALES
Oriente 81 No. 4131
Col. Malinche